A Otorrinolaringologia no Processo Transexualizador

Thieme Revinter

Guilherme Simas Do Amaral Catani
Graduação em Medicina pela Universidade Federal do Paraná (UFPR)
Residência em Otorrinolaringologia pelo Hospital de Clínicas da Universidade Federal do Paraná (HC/UFPR)
Fellowship em Laringologia pelo Hospital IPO
Mestre e Doutor em Clínica Cirúrgica pela UFPR
Professor Adjunto de Otorrinolaringologia da UFPR
Professor da Especialização *Lato Sensu* em Otorrinolaringologia da UFPR
Médico Preceptor do Programa de Residência do HC/UFPR
Médico Otorrinolaringologista do Hospital Instituto Paranaense de Otorrinolaringologia

Bettina Carvalho
Graduação em Medicina pela Universidade Federal do Paraná (UFPR)
Residência Médica em Otorrinolaringologia pelo Hospital de Clínicas da Universidade Federal do Paraná (HC/UFPR)
Otorrinolaringologista pela Associação Brasileira de Otorrinolaringologia e Cirurgia Cérvivo-Facial (ABORL-CCF)
Mestre em Saúde da Criança e do Adolescente pelo HC/UFPR
Médica Preceptora do Programa de Residência do HC/UFPR
Médica Otorrinolaringologista do Hospital Instituto Paranaense de Otorrinolaringologia

Congeta Bruniere Xavier
Fonoaudióloga com Especialização em Voz pelo Centro de Estudos da Voz (CEV)
Graduada em Música, com Especialização em Canto Coral e Análise Musical pela Escola de Música e Belas Artes do Paraná pela Universidade Estadual do Paraná (UNESPAR)
Mestre em Distúrbios da Comunicação pela Universidade Tuiuti do Paraná (UTP)
Doutora em Saúde da Criança e do Adolescente pela Universidade Federal do Paraná (UFPR)

Lucas Resende Lucinda Mangia
Graduação em Medicina pela Universidade Federal de Minas Gerais (UFMG)
Especialização em Atenção Primária à Saúde pela UFMG
Residência em Otorrinolaringologia e Cirurgia Cervicofacial pelo Hospital de Clínicas da Universidade Federal do Paraná (HC/UFPR)
Aperfeiçoamento em Otologia/Otorrinolaringologia no Instituto Portmann e Centre Hôpitalier de Bordeaux, em Bordeaux, França
Mestre pela UFPR
Médico Preceptor do Programa de Residência do HC/UFPR

Maria Theresa Costa Ramos De Oliveira Patrial
Graduação em Medicina pela Universidade Federal do Paraná (UFPR)
Residência Médica em Otorrinolaringologia pelo Hospital de Clínicas da Universidade Federal do Paraná (HC/UFPR)
Otorrinolaringologista pela Associação Brasileira de Otorrinolaringologia e Cirurgia Cérvivo-Facial (ABORL-CCF)
Mestre em Clínica Cirúrgica pelo HC/UFPR
Médica Preceptora do Programa de Residência do HC/UFPR
Médica Otorrinolaringologista do Hospital Instituto Paranaense de Otorrinolaringologia

A Otorrinolaringologia no Processo Transexualizador

Guilherme Simas do Amaral Catani
Bettina Carvalho
Congeta Bruniere Xavier
Lucas Resende Lucinda Mangia
Maria Theresa Costa Ramos de Oliveira Patrial

Thieme
Rio de Janeiro • Stuttgart • New York • Delhi

Dados Internacionais de Catalogação na Publicação (CIP) de acordo com ISBD

O88

Catani, Guilherme Simas do Amaral
   A Otorrinolaringologia no Processo Transexualizador/Guilherme Simas do Amaral Catani [et al.]. – Rio de Janeiro: Thieme Revinter Publicações Ltda, 2021.

   124 p.: il.: 16 x 23 cm.
   Inclui bibliografia.
   ISBN 978-65-5572-103-4
   eISBN 978-65-5572-102-7

   1. Medicina. 2. Otorrinolaringologia. 3. Processo Transexualizador. I. Catani, Guilherme Simas do Amaral. II. Carvalho, Bettina. III. Xavier, Congeta Bruniere. IV. Mangia, Lucas Resende Lucinda. V. Patrial, Maria Theresa Costa Ramos de Oliveira. VI. Título.

                                                CDD: 617.51
   2021-2909   CDU: 616.21

Elaborado por Vagner Rodolfo da Silva
CRB-8/9410

Contato com o autor:
Guilherme Simas do Amaral Catani
guilherme.catani@ufpr.br

© 2021 Thieme. All rights reserved.

Thieme Revinter Publicações Ltda.
Rua do Matoso, 170
Rio de Janeiro, RJ
CEP 20270-135, Brasil
http://www.ThiemeRevinter.com.br

Thieme USA
http://www.thieme.com

Design de Capa: © Thieme
Créditos Imagem da Capa: © Thieme

Impresso no Brasil por Forma Certa Gráfica Digital Ltda.
5 4 3 2 1
ISBN 978-65-5572-103-4

Também disponível como eBook:
eISBN 978-65-5572-102-7

Nota: O conhecimento médico está em constante evolução. À medida que a pesquisa e a experiência clínica ampliam o nosso saber, pode ser necessário alterar os métodos de tratamento e medicação. Os autores e editores deste material consultaram fontes tidas como confiáveis, a fim de fornecer informações completas e de acordo com os padrões aceitos no momento da publicação. No entanto, em vista da possibilidade de erro humano por parte dos autores, dos editores ou da casa editorial que traz à luz este trabalho, ou ainda de alterações no conhecimento médico, nem os autores, nem os editores, nem a casa editorial, nem qualquer outra parte que se tenha envolvido na elaboração deste material garantem que as informações aqui contidas sejam totalmente precisas ou completas; tampouco se responsabilizam por quaisquer erros ou omissões ou pelos resultados obtidos em consequência do uso de tais informações. É aconselhável que os leitores confirmem em outras fontes as informações aqui contidas. Sugere-se, por exemplo, que verifiquem a bula de cada medicamento que pretendam administrar, a fim de certificar-se de que as informações contidas nesta publicação são precisas e de que não houve mudanças na dose recomendada ou nas contraindicações. Esta recomendação é especialmente importante no caso de medicamentos novos ou pouco utilizados. Alguns dos nomes de produtos, patentes e design a que nos referimos neste livro são, na verdade, marcas registradas ou nomes protegidos pela legislação referente à propriedade intelectual, ainda que nem sempre o texto faça menção específica a esse fato. Portanto, a ocorrência de um nome sem a designação de sua propriedade não deve ser interpretada como uma indicação, por parte da editora, de que ele se encontra em domínio público.

Todos os direitos reservados. Nenhuma parte desta publicação poderá ser reproduzida ou transmitida por nenhum meio, impresso, eletrônico ou mecânico, incluindo fotocópia, gravação ou qualquer outro tipo de sistema de armazenamento e transmissão de informação, sem prévia autorização por escrito.

Não existe outra via para a solidariedade humana senão
a procura e o respeito da dignidade individual.

(Pierre Du Nouy − Filósofo francês)

AGRADECIMENTOS

De nada adianta uma boa ideia se ela não for colocada em prática. Agradeço enormemente aos coautores e colaboradores pelo empenho e trabalho impecável. Sem vocês, esta obra não seria viável.

Agradeço à Universidade Federal do Paraná, ao Hospital de Clínicas e ao Serviço de Otorrinolaringologia do HC/UFPR. Encontrei nestas instituições ambiente propício para levar adiante este projeto. Agradecimento especial ao Prof. Dr. Rogério Hamerschmidt e ao Prof. Dr. Rosires Pereira de Andrade pelo incentivo no desenvolvimento deste tema e por gentilmente terem prefaciado esta obra.

Agradeço à Editora Thieme Revinter que desde o primeiro contato demonstrou interesse nesta publicação e encampou a ideia.

Agradeço a todos que não foram mencionados, mas participaram direta ou indiretamente deste projeto.

Muito Obrigado!

Prof. Dr. Guilherme Simas do Amaral Catani

APRESENTAÇÃO

A instituição do processo transexualizador permitiu o acesso a procedimentos para harmonização, cirurgias de modificação corporal e genital, assim como acompanhamento multiprofissional. Neste contexto, a otorrinolaringologia sempre teve um papel periférico tanto pela escassez de profissionais habilitados quanto pela pequena quantidade de publicações.

A ideia inicial desta obra era abordar apenas as questões vocais no processo transexualizador, mas, nas nossas reuniões no Serviço de Otorrinolaringologia do Hospital de Clínicas da UFPR, concluímos que seria mais abrangente descrevermos todas as possibilidades de atuação do otorrinolaringologista. Percebemos que havia uma lacuna na literatura médica sobre o tema. À medida que os capítulos foram sendo escritos e o resultado aparecendo, tive a certeza de que esta foi a melhor opção.

Esta é uma obra técnica, destinada a profissionais da área de saúde e demais interessados. Dividimos o livro em três partes, inicia com aspectos legais e gerais, segue com intervenções no aparelho fonador e, por fim, apresentamos uma gama de procedimentos estéticos de face e pescoço.

Esperamos que esta obra seja um impulso para incrementar o interesse dos otorrinolaringologistas pelo processo transexualizador. É o passo inicial de uma longa jornada.

Aproveitem a leitura!

Prof. Dr. Guilherme Simas do Amaral Catani

PREFÁCIO

Com enorme satisfação, recebi o convite para escrever o prefácio deste livro, que trata do papel da especialidade médica denominada otorrinolaringologia – ORL no atendimento do processo transexualizador.

Partiu o convite dos professores da disciplina de ORL e dos médicos dessa especialidade que ora atuam no nosso Complexo Hospital de Clínicas da UFPR/EBSERH.

Nos últimos anos, temos discutido bastante em nosso hospital, com as diferentes profissões e especialidades envolvidas no referido processo, sobre o nosso papel de profissionais de saúde de um dos maiores hospitais universitários e públicos do país, e a atenção, que se faz necessária, a esse grupo de pessoas e a necessidade de aqui se instituir o atendimento.

Os indivíduos transgênero, ao longo da história da humanidade, sofreram muito devido às dificuldades de compreensão das suas condições e dos seus comportamentos sexuais, tanto por parte das suas famílias quanto da sociedade. Como decorrência, essas pessoas se isolam, empobrecem, têm dificuldade de obter emprego e trabalho, muitos vivem uma vida infeliz, inclusive com sérios problemas emocionais. Infelizmente, ainda existem pessoas que os consideram "doentes", contrariando tudo o que afirmam as entidades nacionais e internacionais representativas da saúde humana.

Nesse livro são abordados temas além da especialidade da ORL, como a estigmatização, a necessidade e o desafio da despatologização da transexualidade e o papel do Sistema Único de Saúde no atendimento.

A transexualidade na legislação brasileira também é minuciosamente descrita, para conhecimento dos leitores dessa publicação. E são apresentados, de maneira bastante compreensiva, os diferentes aspectos ligados aos princípios médicos do atendimento, com vistas ao físico e obviamente ao mental, com abordagem dos tratamentos hormonais e das diferentes cirurgias, desde procedimentos e intervenções cirúrgicas mais comuns até a redesignação de gênero.

A maior parte do livro, como era de se esperar, trata do papel da ORL nesse atendimento. E nesse quesito as informações são da maior qualidade. A anatomia e a fisiologia da laringe e da fonação iniciam as descrições sobre o papel da ORL, continuando com a descrição da avaliação por essa especialidade dos transgêneros (história médica e exame físico).

Culmina o livro com as descrições das diferentes cirurgias que podem ser realizadas, no sentido de propiciar melhora na vida dos indivíduos transgênero, física e emocionalmente falando.

Portanto, trata-se de uma obra única, de grande valor científico e bastante inovadora. Desse modo, ficará disponível a todas as pessoas e entidades interessadas e envolvidas, como as sociedades médicas e afins, os órgãos públicos de saúde e os próprios indivíduos transgênero.

Meus sinceros parabéns aos idealizadores e autores desse livro.

Prof. Rosires Pereira de Andrade
Prof. Titular de Reprodução Humana da
Universidade Federal do Paraná (UFPR)
Gerente de Ensino e Pesquisa do Hospital de Clínicas da UFPR

PREFÁCIO

O Brasil está na vanguarda da garantia de direitos e reconhecimento da expressão de gênero dos transexuais, assegurando a cobertura integral e gratuita de procedimentos que compõem a mudança de sexo. Desde 2008, o Sistema Único de Saúde (SUS) oferece cirurgias e procedimentos ambulatoriais para pacientes que precisam fazer a redesignação sexual, que incluem mecanismos para mudança de sexo, tanto de homem para mulher quanto de mulher para homem.

No SUS é disponibilizado um conjunto de terapias que compõem a mudança de sexo. São inúmeras as áreas de saúde e especialidades médicas envolvidas neste contexto, tanto clínicas quanto cirúrgicas. A variedade de cirurgias é ampla, como a retirada das mamas por mastectomias, a plástica mamária reconstrutiva, incluindo próteses de silicone, e a cirurgia de mudança de voz – tireoplastia, na qual a importância da otorrinolaringologia se consolida, atuando para além de questões estéticas que envolvem a face e o pescoço, propiciando a equalização da voz ao gênero, otimização na caminhada da transição.

Com muito orgulho incentivamos e apoiamos a participação do corpo clínico da nossa especialidade de otorrinolaringologia, tanto em atividades assistenciais de atenção plena ao transexual quanto em atividades acadêmicas, na realização desta primordial obra *A Otorrinolaringologia no Processo Transexualizador.*

Parabenizo aqui meu grande amigo e colega de profissão, o Professor Guilherme Simas do Amaral Catani e demais autores, pelo grande projeto, que entendo como uma semente que florescerá para a expansão deste tema no nosso Hospital de Clínicas da Universidade Federal do Paraná. Agradeço ainda a dedicação do nosso corpo clínico do CHC/UFPR, a contribuição à ciência e a disseminação não apenas no âmbito do conhecimento médico, mas também pela inserção da nossa especialidade neste atendimento multidisciplinar e fundamental.

Que a ciência sempre prevaleça e que a nossa sociedade respeite cada vez mais a diversidade, sempre com vistas a um mundo melhor, de todos e para todos, respeitando a decisão de cada ser humano.

E que a disciplina de otorrinolaringologia do Hospital de Clínicas da Universidade Federal do Paraná siga seu caminho de contribuir com o ensino, a pesquisa e a extensão que são pilares da nossa universidade, com o nosso Complexo Hospital de Clínicas seguindo sua missão de assistencialismo amplo e irrestrito para os que dele necessitam!

Parabéns aos autores, e tenham a certeza do meu constante e irrestrito apoio!

Prof. Dr. Rogério Hamerschmidt MD, PhD
Chefe do Serviço de Otorrinolaringologia
do Hospital de Clínicas da Universidade Federal do Paraná (UFPR)
Professor Associado do Departamento
de Oftalmo-otorrinolaringologia do Setor de Ciências da Saúde da UFPR
Coordenador da Residência Médica
e da Especialização em Otorrinolaringologia
do Hospital de Clínicas da UFPR
Professor Permanente do Programa de Pós-graduação
em Clínica Cirúrgica do Setor de Ciências da Saúde da UFPR

COLABORADORES

CAROLINA DRANKA
Médica pela Universidade Federal de Ciências da Saúde de Porto Alegre (UFCSPA)
Dermatologista pelo Hospital Federal dos Servidores do Estado do Rio de Janeiro

CAROLINE FERNANDES RÍMOLI
Médica pela Faculdade de Medicina de Catanduva (FAMECA)
Residência Médica em Otorrinolaringologia pela Universidade Estadual Paulista (UNESP)
Mestre em Medicina pela UNESP
Fellowship em Laringologia pelo Hospital IPO
Doutoranda em Clínica Cirúrgica pela Universidade Federal do Paraná (UFPR)
Médica Otorrinolaringologista do Hospital Instituto Paranaense de Otorrinolaringologia

DANIELA DRANKA DE MORAES
Graduação em Medicina pela Universidade Federal do Paraná (UFPR)
Otorrinolaringologia e Cirurgia Cervicofacial pelo Hospital das Clínicas da Universidade Federal do Paraná (HC/UFPR)
Fellowship em Rinoplastia e Cirurgia da Face pelo Hospital IPO
Pós-Graduação em Estética Facial pela Uningá – Hospital IPO
Médica Otorrinolaringologista do Hospital Instituto Paranaense de Otorrinolaringologia

EVALDO DACHEUX DE MACEDO FILHO
Graduação em Medicina pela Universidade Federal do Paraná (UFPR)
Fellowship em Bronchology and Lung Cancer Detection Clinical Onc pela Japan International Cooperation Agency
Endoscopia Peroral pela Sociedade Brasileira de Endoscopia Peroral (SBEP)
Endoscopia Digestiva pela Sociedade Brasileira e Endoscopia Digestiva (SOBED)
Otorrinolaringologia pela Associação Brasileira de Otorrinolaringologia e Cirurgia Cérvico-Facial (ABORL-CCF)
Mestre e Doutor em Clínica Cirúrgica pela UFPR
Professor da Especialização *Lato Sensu* em Otorrinolaringologia da UFPR
Médico Preceptor do Programa de Residência do Hospital das Clínicas da Universidade Federal do Paraná (HC/UFPR)
Médico otorrinolaringologista do Hospital Instituto Paranaense de Otorrinolaringologia

IVAN COSTA RAMOS DE OLIVEIRA
Arquiteto e Urbanista pela Universidade Federal de Alagoas (UFAL)
Ilustrador

LARISSA MOLINARI MADLUM
Graduação em Medicina pela Universidade Federal do Paraná (UFPR)

LETÍCIA RAYSA SCHIAVON KINASZ
Graduação em Medicina pela Universidade Federal do Paraná (UFPR)
Otorrinolaringologia pelo Hospital das Clínicas da Universidade Federal do Paraná (HC/UFPR)
Otorrinolaringologista pela Associação Brasileira de Otorrinolaringologia e Cirurgia Cérvico-Facial (ABORL-CCF)
Fellowship em Otorrinolaringologia Pediátrica pelo Hospital de Clínicas da Universidade Estadual de Campinas (Unicamp)
Mestranda em Ciências Médicas na Unicamp

MARIA EDUARDA CARVALHO CATANI
Acadêmica de Medicina no Centro Universitário de Brusque (UNIFEBE)

MARIANA WILBERGER FURTADO MARINO
Médica pela Faculdade de Medicina de São José do Rio Preto (FAMERP)
Residência em Otorrinolaringologia e Cirurgia cervicofacial pela FAMERP
Residência em Cirurgia Craniomaxilofacial pela FAMERP
Médica Otorrinolaringologista do Hospital Instituto Paranaense de Otorrinolaringologia

PEDRO CARRION CARVALHO
Acadêmico de Medicina no Centro Universitário de Brusque (UNIFEBE)

SUMÁRIO

PARTE I
ASPECTOS LEGAIS E GERAIS DO PROCESSO TRANSEXUALIZADOR

1 CONCEITOS GERAIS EM TRANSEXUALIDADE 3
Lucas Resende Lucinda Mangia ▪ Bettina Carvalho

2 TRANSEXUALIDADE NA LEGISLAÇÃO BRASILEIRA 11
Bettina Carvalho ▪ Lucas Resende Lucinda Mangia

3 PRINCÍPIOS MÉDICOS DO PROCESSO TRANSEXUALIZADOR 17
Lucas Resende Lucinda Mangia ▪ Bettina Carvalho

PARTE II
A VOZ NO PROCESSO TRANSEXUALIZADOR

4 ANATOMIA E FISIOLOGIA DA LARINGE E FONAÇÃO 29
Evaldo Dacheux de Macedo Filho ▪ Caroline Fernandes Rímoli

5 AVALIAÇÃO OTORRINOLARINGOLÓGICA DO PACIENTE TRANSGÊNERO 35
Guilherme Simas do Amaral Catani ▪ Maria Eduarda Carvalho Catani ▪ Pedro Carrion Carvalho

6 ATUAÇÃO FONOAUDIOLÓGICA JUNTO AO PACIENTE TRANSGÊNERO 39
Congeta Bruniere Xavier

7 CIRURGIAS PARA REDUÇÃO DE *PITCH* VOCAL 47
Guilherme Simas do Amaral Catani ▪ Larissa Molinari Madlum ▪ Maria Eduarda Carvalho Catani

8 CIRURGIAS PARA ELEVAÇÃO DE *PITCH* VOCAL 53
Guilherme Simas do Amaral Catani ▪ Letícia Raysa Schiavon Kinasz

PARTE III
INTERVENÇÕES CERVICOFACIAIS
NO PROCESSO TRANSEXUALIZADOR

9 ANATOMIA FACIAL LIGADA AO GÊNERO 61
Carolina Dranka ▪ Daniela Dranka de Moraes ▪ Maria Theresa Costa Ramos de Oliveira Patrial

10 CONDROPLASTIA LARÍNGEA 67
Guilherme Simas do Amaral Catani ▪ Larissa Molinari Madlum ▪ Maria Eduarda Carvalho Catani

11 RINOPLASTIA NO PROCESSO TRANSEXUALIZADOR 73
Daniela Dranka de Moraes ▪ Maria Theresa Costa Ramos de Oliveira Patrial

**12 PROCEDIMENTOS FACIAIS NÃO CIRÚRGICOS NO
PROCESSO TRANSEXUALIZADOR DA FACE** 79
Carolina Dranka ▪ Maria Theresa Costa Ramos de Oliveira Patrial

13 CIRURGIA CRANIOMAXILOFACIAL NA AFIRMAÇÃO DO GÊNERO 87
Mariana Wilberger Furtado Marino

ÍNDICE REMISSIVO 101

A Otorrinolaringologia no Processo Transexualizador

Thieme Revinter

Parte I Aspectos Legais e Gerais do Processo Transexualizador

CONCEITOS GERAIS EM TRANSEXUALIDADE

CAPÍTULO 1

Lucas Resende Lucinda Mangia ▪ Bettina Carvalho

INTRODUÇÃO E DEFINIÇÕES

Indivíduos transgênero são aqueles que apresentam algum grau de discordância entre o gênero percebido subjetivamente e aquele que lhe foi atribuído ao nascimento.[1,2] Há caracteristicamente um sentimento de não pertencimento ao sexo anatômico que, em outras palavras, revela uma incongruência entre o sexo biológico do indivíduo e a sua identidade de gênero.[3-5] Dessa maneira, o indivíduo apresenta uma nítida sensação de corporeidade equivocada, imputando-lhe, em alguns casos, um sofrimento particular. O descontentamento apresentado pelos caracteres anatômicos e a profunda identificação com as características do sexo oposto são comumente acompanhados de uma persistente sensação de não reconhecimento das atribuições sociais pertinentes ao sexo biológico. É importante ressaltar que, entre os transgêneros, alguns se identificam de maneira diversa àquela estabelecida pelo conceito binário de "homem" e "mulher", sendo reconhecidos como transgêneros não binários.[1,2]

Sublinha-se que o conceito de identidade de gênero reflete a experiência individual de alguém sobre quem é. Desse modo, é diferente da orientação afetiva e sexual, a qual é determinada pela percepção subjetiva sobre por quem o indivíduo sente-se atraído. Assim, a transexualidade difere-se da homoafetividade por não necessariamente envolver uma orientação afetiva e sexual dirigida para indivíduos do mesmo gênero, mas uma insatisfação e inadequação com o próprio sexo biológico. Tampouco se assemelha ao travestismo, o qual envolve essencialmente o desejo por vestir-se e comportar-se como pertencente ao sexo oposto; ou à intersexualidade, a qual incorre na possessão de caracteres sexuais de ambos os sexos.[6]

PREVALÊNCIA E BASES BIOLÓGICAS

As estimativas para a população de pessoas transgênero são escassas e notadamente incertas. Essa incerteza é um primeiro dificultador para os sistemas de saúde no que se refere ao planejamento da prestação de cuidado a esses indivíduos. Há que considerar que se trata de uma população diversa, na qual se incluem pessoas que decidem não se submeter a transição para o gênero com o qual se identificam, pessoas que fazem apenas a transição social do gênero (e, portanto, não procuram nenhum serviço de saúde para procedimentos visando a afirmação de gênero) e indivíduos que recorrem a tratamentos clandestinos, sem o devido acompanhamento médico. Com efeito, estimativas populacionais que consideram apenas a parcela que procura serviços de saúde para transição de gênero certamente subestimam o tamanho desse grupo de indivíduos. Métodos mais diretos de estimativa populacional costumam encontrar cifras mais elevadas, as quais parecem variar de 0,5%-1,3% para indivíduos biologicamente nascidos homens, e 0,4%-1,2% para pessoas biologicamente nascidas mulheres.[7]

A etiologia da transexualidade é desconhecida. Há evidência crescente de que fatores biológicos variados, em contraponto a fatores relacionados com o ambiente ou com a parentalidade, estejam implicados no desenvolvimento da identidade de gênero. Contudo, é obviamente importante salientar que a expressão do gênero sofrerá diversas influências culturais e ligadas à moralidade, as quais variam amplamente conforme a localidade.[7] Primeiramente, o desenvolvimento inicial do sistema nervoso central parece ter efeito determinante no estabelecimento da identidade de gênero, o qual parece resistir a pressões sociais normativas.[8,9] Esse desenvolvimento pode depender de efeitos hormonais pré-natais e/ou de efeitos genéticos diretos, para cujo papel há diversas evidências descritas.[10-15] Estudos sobre lateralização de vias neurais associadas com habilidade auditiva, por exemplo, aproximam os achados em indivíduos transgênero com aqueles do gênero com o qual se identificam.[16] Tais resultados reforçam correlações entre a incongruência de gênero e o desenvolvimento cerebral atípico.[17] Achados correlatos foram replicados ao se estudar a resposta cerebral de indivíduos cis e transgênero a odores.[18] Entretanto, apesar do convincente corpo de evidências que relaciona marcadores genéticos, cromossômicos, hormonais e neuroestruturais à discordância de gênero, nenhum deles pode ou deve ser usado de modo diagnóstico. A única forma válida de entender a identidade de gênero de um indivíduo é ouvindo-o empaticamente.[7]

A ESTIGMATIZAÇÃO E A BUSCA POR ASSISTÊNCIA EM SAÚDE

Ao redor do mundo, pessoas transgênero experimentam o fardo da estigmatização diariamente. Desse modo, são ligados às ideias de transgressão sexual, imoralidade e transtorno mental. O estresse advindo da posição marginal na sociedade reflete em saúde precária e baixos níveis de bem-estar.[19] Intolerância na escola, abstenção e evasão escolares, conflitos familiares, problemas documentais, discriminação no trabalho, desemprego e subemprego são alguns dos fatores que predispõem tais indivíduos à pobreza. Além disso, há problemas estruturais de acesso à moradia, às oportunidades de estudo e emprego e aos serviços públicos. Tais dificuldades de alcance da plena cidadania ajudam a impulsionar hábitos e situações de risco, como uso de substâncias ilícitas e práticas sexuais inseguras. Essa cadeia de eventos aumenta os riscos à saúde e ao bem-estar e, ajudam a explicar os maiores índices de tentativas de suicídio nesse grupo.[7] Em um estudo, 44% dos indivíduos transgênero apresentavam transtorno depressivo, 33% demonstravam ansiedade e 41% relataram haver tentado suicídio.[20] Por outro lado, a transição social, hormonal e cirúrgica de gênero parece estar associada a melhoras na saúde emocional e no bem-estar da população transgênero, e são atualmente reconhecidas como eficazes na abordagem desses indivíduos.[2]

Indivíduos transgênero podem buscar assistência médica por motivos específicos e diretamente relacionados com sua incongruência de gênero e consequente disforia. Essa procura pode visar a obtenção de informações e aconselhamento para auxiliar na exploração de questões de identidade ou para considerar decisões relacionadas com a transição de gênero e suas implicações amplas. Da mesma forma, os pacientes podem, uma vez decididos, buscar auxílio para o processo de afirmação de gênero *per se*, o qual pode envolver hormonoterapia e/ou cirurgias. Outras demandas podem surgir a partir de questões particulares reprodutivas ou sexuais secundárias à transição de gênero, como a estocagem de gametas ou cuidado com neogenitálias. Além disso, tais indivíduos podem também necessitar de cuidados relacionados com o sexo biológico, como é o caso do rastreio de cânceres de próstata e de colo de útero em mulheres e homens transgênero, respectivamente. Pontua-se, contudo, que a saúde do indivíduo transgênero compreende também todos os aspectos não correlacionados à incongruência de gênero isoladamente, de modo que estão sujeitos aos mesmos agravos em saúde do restante da população.[7]

Infelizmente, é frequente que os profissionais de saúde que atendem tais pessoas nos diferentes níveis e contextos de assistência não estejam preparados para o seu acolhimento e seguimento, refletindo no âmbito da assistência à saúde a hostilidade e os preconceitos de outras esferas da sociedade.[21,22] Isso explica porque é comum que a população transgênero com frequência recorra a mercados paralelos de procedimentos e a tratamentos hormonais autoadministrados e sem o devido monitoramento.[23,24] A educação profissional é um pilar fundamental do acolhimento e acompanhamento de grupos vulneráveis. Nesse sentido, é fundamental que os profissionais da área da saúde estejam familiarizados e empenhados no acolhimento da diversidade, com respeito à autonomia do indivíduo e aos direitos à liberdade, à singularidade e ao pleno desenvolvimento da personalidade.[25]

O DESAFIO DA *DESPATOLOGIZAÇÃO* DA TRANSEXUALIDADE

O conceito de transexualidade presente nos manuais diagnósticos tradicionalmente é associado a uma doença ou psicose,[25] pois se vale da dicotomia homem *versus* mulher para determinar o conceito de normalidade e, infelizmente, incorre em atitudes excludentes e limitadoras da sexualidade e da subjetividade.[25,26] O acesso aos serviços de saúde torna-se ainda mais dificultado para essa população, em razão da conceitualização equivocada de que suas experiências configurariam um transtorno mental a ser coibido. Tal visão tem sido criticada há bastante tempo, pois patologiza a diversidade e, de maneira contraprodutiva, incorre em estigmatização e piora da saúde mental do indivíduo assistido.[7] Além disso, pode-se dizer que a ótica que observa a discordância de gênero como uma patologia está alicerçada fundamentalmente em dinâmicas históricas e culturais que carecem de evidências científicas. Da mesma forma, tratamentos que visam a incentivar a conformidade da identidade de gênero com aquela do sexo ao nascimento são tanto duvidosos do ponto de vista ético quanto ineficazes.[2]

Atualmente, as novas versões dos principais manuais diagnósticos têm procurado se adaptar a essas alegações, mas de maneira distinta (Quadro 1-1). O processo tem sido lento, mas algumas mudanças já podem ser percebidas. A Academia Americana de Psiquiatria, em seu quinto Manual Diagnóstico e Estatístico de Doenças Mentais (DSM V da sigla em inglês), apresenta o diagnóstico de *disforia de gênero*. Esse conceito foca menos na incongruência de gênero *per se* do que no estresse por ventura secundário à percepção subjetiva do indivíduo. Em comparação, no manual anterior, lia-se *transtorno da identidade de gênero*, um conceito que se confundia amplamente com a própria definição da transexualidade. Da mesma forma, versões ainda mais antigas associavam o termo *transexualismo* a problemas clínicos, conceito atualmente tido como ultrapassado e inadequado. Apesar dos avanços, entretanto, muitos alegam que o eixo diagnóstico para os indivíduos transgênero mantém sua vivência atrelada à ideia de transtorno mental no referido manual. Por outro lado, mudanças maiores já foram observadas na nova versão da Classificação Estatística Internacional das Doenças (CID-11), publicada pela Organização Mundial da Saúde (OMS). Na CID-11, foram retirados os termos *transexualidade* e *transtorno de identidade de gênero*, originalmente alocados no capítulo *Transtornos Mentais e Comportamentais*.

Quadro 1-1. Definições prévias e atualizadas nos principais manuais diagnósticos com relação à identidade de gênero

Manual diagnóstico	Versão prévia	Versão atual
Classificação Estatística Internacional de Doenças e Problemas Relacionados à Saúde (CID)	CID-10: transexualismo (F64.0) e transtorno de identidade sexual na infância (F64.2), incluídos no Capítulo V, de Transtornos Mentais e Comportamentais	CID-11: incongruência de gênero do adolescente ou do adulto e incongruência de gênero detectada na infância, incluídos no Capítulo V, de Transtornos Relacionados à Saúde Sexual
Manual Diagnóstico e Estatístico de Transtornos Mentais (DSM)	DSM IV: transtorno da identidade de gênero, conceito mais generalizado, que se confundia com a própria definição do transexualismo	DSM V: disforia de gênero, que foca na existência de desconforto atual em relação à não concordância entre a identidade de gênero e o sexo biológico. A não conformidade de gênero, por si só, não seria um transtorno mental

Em seus lugares, a OMS reconheceu oficialmente o termo *incongruência de gênero*, situado em uma categoria diferente: a das *Condições Relativas à Saúde Sexual*.[27-31]

O PROCESSO TRANSEXUALIZADOR E O SISTEMA ÚNICO DE SAÚDE

Pode-se resumir o processo transexualizador como aquele que, de modo amplo, visa à solução de um conflito interno do indivíduo com características externas que interferem no seu sentido de identidade pessoal e de representação na coletividade. Como citado anteriormente, pode ser um dos motivos que levam a população transgênero à procura de serviços de saúde. Com a crescente demanda por prestação de assistência à população transgênero, a discussão e concretização de mecanismos de acesso oportuno ao processo transexualizador no âmbito da saúde pública tornaram-se essenciais.

Avanços na efetivação dos princípios do Sistema Único de Saúde (SUS) permitiram o amadurecimento de ações de inclusão para grupos vulneráveis específicos, dentre eles a população transgênero. Nesse sentido, tais ações inclusivas visam a garantir a diversidade de identidades e culturas, reconhecendo, nesse caso, que a identidade de gênero é um fator determinante e condicionante para a saúde de indivíduos e populações. Ao implementar tais ações no contexto do SUS, espera-se não apenas o reconhecimento de práticas sexuais e sociais específicas, mas um olhar abrangente e integral sobre um grupo de indivíduos exposto a agravos particulares. Tais agravos decorreriam, em especial, de estigmas e atitudes discriminatórias que violam os direitos humanos à saúde, à dignidade, à não discriminação, à autonomia e ao livre desenvolvimento de personalidades e identidades.[32] Conforme enunciado pelos princípios de Jacarta, as nossas garantias legais em termos de direitos humanos se aplicam também à identidade de gênero.[33] Seguindo-se essa doutrina, portanto, propiciar o acesso às ações em saúde pelas populações transgênero no contexto de saúde pública seria não menos que proteger os direitos básicos do indivíduo.

A portaria 457/2008 instituiu o processo transexualizador no SUS. Esse documento, entre outros, definiram os regramentos para que unidades de saúde pudessem dar assistência especializada e realizar um atendimento humanizado à população transgênero. Definiram, também, detalhadamente, os procedimentos disponíveis na rede de saúde, considerando os avanços na área e a integralidade do cuidado durante o atendimento dos indivíduos.[34]

A abordagem técnica da transexualidade no Brasil foi largamente baseada na Resolução do Conselho Federal de Medicina (CFM) 1.955 de 2010, a qual estabeleceu critérios para a **definição** do quadro, quais sejam:

A) Desconforto com o sexo anatômico natural;
B) Desejo expresso de eliminar os genitais, perder as características primárias e secundárias do próprio sexo e ganhar as do sexo oposto;
C) Permanência desses distúrbios de forma contínua e consistente por, no mínimo, 2 anos;
D) Ausência de **outros** transtornos mentais.[6]

A referida resolução também normatizou o acesso às transformações corporais, ou ao processo transexualizador, condicionando-o, entre outros, a um diagnóstico psiquiátrico.[35] Apesar do avanço em termos de inclusão do tema nas normativas de saúde, o condicionamento do processo à autorização psiquiátrica e a critérios rígidos e "patologizantes" é ainda fonte de controvérsias.[35,36] A normatização da sexualidade e do gênero é vista como fonte de potenciais novas fronteiras de exclusão e discriminação, pois determina regramentos a questões identitárias e de subjetividade. Pode, ainda, retirar a autonomia do indivíduo e facilitar o distanciamento do sujeito como principal agente modificador do processo de saúde-doença.

Por fim, outro documento importante que rege o acolhimento às populações minoritárias é a Carta dos Direitos dos Usuários da Saúde. Nela, determina-se a garantia ao atendimento humanizado, acolhedor, livre de qualquer discriminação, restrição ou negação em virtude de idade, raça, cor, etnia, religião, orientação sexual, identidade de gênero (artigo 4, parágrafo único).[16] Esse atendimento reflete-se, por exemplo, no caso da população transgênero, no respeito ao nome social, na formulação dos ambientes de atendimento e na garantia da privacidade e da autonomia, desde os centros de Atenção Básica até aqueles de Atenção Especializada.

Considerando-se a necessidade de suprir as necessidades em saúde pública da população transgênero, urge elaborar, implementar e manter políticas de cuidado direcionado e especializado. Cabe, também, às frentes de desenvolvimento das práticas em saúde – especialmente aquelas ligadas aos serviços terciários universitários, tecer e fomentar estratégias que possibilitem a ampla discussão, pesquisa e divulgação de conteúdo relativo a esse tema aos demais serviços e à sociedade em geral.

Nos capítulos seguintes da primeira parte deste compilado, discutiremos em maior profundidade os princípios legislatórios e médicos que regem o atendimento de pacientes transgênero no tocante às condutas e procedimentos de afirmação de gênero. Em seguida, dedicaremos o restante desta obra aos papéis da otorrinolaringologia e profissionais correlatos nesse tipo de atendimento.

REFERÊNCIAS BIBLIOGRÁFICAS

1. Drescher J, Cohen-Kettenis P, Winter S. Minding the body: situating gender identity diagnoses in the ICD-11. Internat Rev Psychiat. 2012;24(6):568-577.
2. World Professional Association for Transgender Health (WPATH). Standards of Care for the Health of Transsexual, Transgender, and Gender Nonconforming People (Seventh ed.). Minneapolis: WPATH. 2012.
3. Arán MA. Transexualidade e a gramática normativa do sistema sexogênero. Ágora – Estudos em Teoria Psicanalítica. 2006;9(1):49-63.

4. Calderón G, Sólis F, Pascual R, et al. Bases Biológicas de la Orientación Sexual. Rev Neuropsicol Neuropsiquiat Neuroc. 2009;9(1):9-24.
5. Vieira TR. Aspectos psicológicos, médicos e jurídicos do transexualismo. Psicólogo informação. 2000;4(4):63-77.
6. Ventura M. Transexualismo e respeito à autonomia (dissertação). Rio de Janeiro (RJ): Fundação Oswaldo Cruz, Escola Nacional de Saúde Pública; 2007.
7. Winter S, Diamond M, Green J, et al. Transgender people: health at the margins of society. Lancet. 2016;388(10042):390-400.
8. Diamond M, Sigmundson HK. Sex reassignment at birth. Long-term review and clinical implications. Arch Pediatr Adolescent Med. 1997;151:298-304.
9. Dessens AB, Froukje ME, Slijper FME, et al. Gender dysphoria and gender change in chromosomal females with congenital adrenal hyperplasia. Arch Sex Behavior. 2005;34(4):389-397.
10. Bao AM, Swaab DF. Sexual differentiation of the human brain: Relation to gender identity, sexual orientation and neuropsychiatric disorders. Front Neuroendocrinol. 2011;32:214-226.
11. Dewing P, Shi T, Horvath S, Vilain E. Sexually dimorphic gene expression in mouse brain precedes gonadal differentiation. Mol Brain Res. 2003;118:82-90.
12. Hare L, Bernard P, Sanchez FJ, et al. Androgen receptor repeat length polymorphism associated with male to female transsexualism. Biol Psychiatr. 2008;65(1):93-96.
13. Snaith RP, Penhale S, Horsfield P. Male to female transsexual with 47 XYY karyotype. Lancet. 1991;337:557-558.
14. Dessens AB, Cohen-Kettenis PT, Mellenbergh GJ, et al. Prenatal exposure to anticonvulsants and psychosexual development. Arch Sex Behavior. 1999;28:31-44.
15. Green R. Family co-occurrence of gender dysphoria: ten sibling or parent-child pairs. Arch Sex Behavior. 2000;29:499-507.
16. Burke S, Menks W, Cohen-Kettenis P, et al. Click-evoked otoacoustic emissions in children and adolescents with gender identity disorder. Arch Sex Behavior. 2014;43(8):1515-23.
17. Green R, Young R. Hand preference, sexual preference, and transsexualism. Arch Sex Behavior. 2001;30:565-574.
18. Burglund H, Lindstrom P, Dhejne-Helmy C, Savic I. Male-to-female transsexuals show sex-atypical hypothalamus activation when smelling odorous steroids. Cerebral Cortex. 2008;18(8):1900-8.
19. Bockting WO, Miner MH, Swinburne Romine RE, et al. Stigma, mental health, and resilience in an online sample of the US transgender population. American Journal of Public Health. 2013;103(5):943-951.
20. Grant J, Mottet L, Tanis J, et al. Injustice at every turn: a report of the National Transgender Discrimination Survey. Washington DC: National Centre for Transgender Equality and National Gay and Lesbian Task Force. 2011.
21. Riggs D, Due C. Gender identity Australia: The healthcare experiences of people whose gender identity differs from that expected of their natally assigned sex. Adelaide: Flinders University. 2013.
22. Whittle S, Turner L, Combs R, Rhodes S. EuroStudy: Legal survey and focus on the transgender experience of health care. Brussels: International Lesbian and Gay Association Europe (ILGA-Europe) and Transgender Europe (TGEU). 2008.
23. Winter S, Doussantousse S. Transpeople, hormones, and health risks in Southeast Asia: A Lao study. Internat J Sex Health. 2009;21(1):35-48.
24. Gooren L, Sungkaew T, Giltay E. Exploration of functional health, mental well-being and cross-sex hormone use in a sample of Thai male-to-female transgendered persons (kathoeys) Asian J Androl. 2013;15:280-285.
25. Arán M, Murta D, Lionço T. Transexualidade e saúde pública no Brasil. Ciência & Saúde Coletiva. 2009;14(4):1141-9.

26. Dalsenter TA. Do corpo natural ao corpo transformado: um panorama Jurídico do Transexualismo. In: Anais do XVI Congresso Nacional do CONPEDI. Belo Horizonte: CONPEDI. 2007.
27. American Psychiatric Association. Diagnostic and Statistical Manual of Mental Disorders: Fifth Edition. Washington DC: American Psychiatric Association. 2013.
28. Fraser L, Karasic DH, Meyer WJ, Wylie K. Recommendations for revision of the DSM diagnosis of Gender Identity Disorder in Adults. Internat J Transgend. 2010.
29. Reed G, Correa JM, Esparza J, et al. The WPA-WHO Global Survey of Psychiatrists' Attitudes towards Mental Disorders Classification. W Psychiatr. 2011;10:118-131.
30. World Health Organization. International Statistical Classification of Diseases and Related Health Problems: 10th Revision. Geneva: World Health Organization. 1992.
31. Drescher J, Cohen-Kettenis P, Winter S. Minding the body: Situating gender identity diagnoses in the ICD-11. Internat Rev Psychiatr. 2012;24(6): 568-577.
32. Souza J, Lacerda T, Manchola Castillo C, Garrafa V. O Processo Transexualizador no SUS – implicações bioéticas. Rev Bras Bioética. 2013;9(1-4):34-53.
33. Yogyakarta Principles: The application of international human rights law in relation to sexual orientation and gender identity. 2014.
34. Brasil. Ministério da Saúde. Portaria n° 457/SAS de 19/08/2008. Regulamenta o Processo Transexualizador no SUS. Diário Oficial da União, DF, 20 ago, 2008.
35. Arán M, Murta D, Zaidhaft S. Transexualidade: corpo, subjetividade e saúde coletiva. Psicologia e Sociedade. 2008;20(1):70-9.
36. Bento B. A reinvenção do corpo. Rio de Janeiro: Garamond; 2006.

TRANSEXUALIDADE NA LEGISLAÇÃO BRASILEIRA

CAPÍTULO 2

Bettina Carvalho ■ Lucas Resende Lucinda Mangia

INTRODUÇÃO

O processo transexualizador compreende uma série de procedimentos a que se submetem indivíduos transexuais que se destinam a modificar seus caracteres corpóreos sexuais. A procura por sua realização é movida pelo sentimento persistente e profundo de desconforto e desarmonia entre a identidade de gênero e o sexo biológico, muitas vezes presentes nessa população.[1]

Até o final da década de 1990, as cirurgias para a afirmação de gênero em transexuais eram vedadas no Brasil. Assim, os que pretendiam realizá-las tinham que procurar clínicas clandestinas ou profissionais em outros países.[1]

Apenas em 2008 o governo brasileiro reconheceu oficialmente as cirurgias de redesignação sexual. Esse primeiro passo instituiu o processo transexualizador no âmbito do Sistema Único de Saúde (SUS) e seu marco legislativo foi a **Portaria nº 457/2008**.[2] Através desse texto normativo, foram criadas as instruções de credenciamento e habilitação de Unidades de Atenção Especializada, as quais seriam passíveis de praticar os devidos procedimentos contidos no processo de redesignação. Tais unidades eram constituídas em suma por hospitais de ensino certificados pelo Ministério da Saúde ou hospitais contratualizados com o SUS. Segundo o documento, o processo transexualizador *per se* faria referência à modificação de caracteres corpóreos em indivíduos transexuais mediante tratamento hormonal e cirúrgico. Segundo o texto dessa portaria, as idades mínima e máxima para submissão aos procedimentos seriam de 21 e 75 anos, respectivamente.

A equipe médica mínima estabelecida à época pelas normativas deveria conter um médico cirurgião e um anestesista. Já a equipe multidisciplinar médica deveria ser composta por um psiquiatra e um endocrinologista. Apesar de não ser nomeada oficialmente dentre as especialidades requeridas na equipe médica, a otorrinolaringologia já tinha sua participação sugerida ao se observar o texto do documento em questão. Em seu interior, tal portaria elencou alguns procedimentos cirúrgicos que estariam incluídos no processo transexualizador. Entre tais intervenções, já se podia observar a menção à tireoplastia para feminilização da voz e à cirurgia para redução do *pomo de Adão*.

Antes disso, o Conselho Federal de Medicina (CFM), através da **Resolução nº 1482/1997**,[3] já havia reconhecido como lícita a realização de procedimentos cirúrgicos em pacientes transexuais. Nesse sentido, o órgão maior da Medicina no Brasil autorizava, ao menos a título experimental, as cirurgias de *transgenitalização* em hospitais públicos universitários. Tais cirurgias deveriam ser realizadas em pacientes com *diagnóstico de transexualismo* (termo utilizado pelo órgão à época, porém inadequado à luz dos conceitos atuais em relação ao tema), após 2 anos de psicoterapia e acompanhamento com equipe multidisciplinar (médico psiquiatra, cirurgião, psicólogo e assistente social). Além disso, as intervenções deveriam submeter-se às normas e diretrizes éticas da **Resolução do Conselho Nacional de Saúde nº 196/1996**.[4] Por outro lado, mais tardiamente, em 2002, a **Resolução nº 1652/2002**,[5] do CFM, ampliou as possibilidades de acesso aos procedimentos de transexualização, tornando possível o atendimento de mulheres trans em qualquer instituição de saúde, pública ou privada.[6] Oito anos depois, a **Resolução nº 1955/2010**,[7] do CFM, retirou o caráter experimental da cirurgia de neocolpovulvoplastia, e reforçou que o tratamento deveria ser realizado apenas em estabelecimentos que contemplassem integralmente os pré-requisitos estabelecidos, bem como mediante a presença de equipes multidisciplinares.

A **Portaria nº 2.836/2011** do Ministério da Saúde instituiu a Política Nacional de Saúde Integral de Lésbicas, Gays, Bissexuais, Travestis e Transexuais que foi um importante marco no atendimento em saúde das minorias sexuais. Nessa portaria, um grande avanço foi a definição como direito ao uso do nome social de travestis e transexuais, de acordo com a Carta dos Direitos dos Usuários do SUS.[8]

O aumento no número de procedimentos médicos para redesignação do gênero foi o grande marco da **Portaria MS/GM nº 2803/2013**,[9] a qual redefiniu e ampliou o processo transexualizador no âmbito do SUS. Nesse sentido, criou-se uma diretriz para a devida integração de ações e serviços na abordagem da população transexual, tendo como porta de entrada a Atenção Básica em Saúde. Reforçou-se, ainda, a necessidade do devido acolhimento e da humanização do atendimento, o qual deveria ser livre de discriminação. Do ponto de vista técnico, este documento de 2013 incluiu oficialmente uma série de procedimentos complementares sobre gônadas e caracteres sexuais secundários, como tireoplastia, mastectomia, histerectomia com anexetomia bilateral, colpectomia e plástica mamária reconstrutiva. Mais uma vez, fez-se menção a cirurgias da alçada do otorrinolaringologista, por exemplo, ao tratar de intervenções para alongamento de corda vocal, tipicamente realizadas para feminilização da voz.

Entretanto, ainda nessa portaria, a otorrinolaringologia não foi diretamente citada na composição das equipes do processo transexualizador. Na realidade, essa composição foi assim estabelecida pelo instrumento normativo:

- *Responsável técnico:* médico com título de especialista em especialidades, como urologia ou ginecologia ou cirurgia plástica, comprovadas por certificado de Residência Médica reconhecido pelo Ministério da Educação (MEC) ou título de especialista registrado no Conselho Regional de Medicina;
- *Equipe de referência:* deverá contar com, no mínimo, um médico urologista ou um ginecologista, ou um cirurgião plástico, com título de especialista da respectiva especialidade, comprovada por certificado de Residência Médica reconhecido pelo Ministério da Educação (MEC) ou título de especialista registrado no Conselho Regional de Medicina, para atendimento diário. Ainda, na equipe do estabelecimento em Atenção Especializada no Processo Transexualizador, a modalidade hospitalar deverá contar, no mínimo, com um psiquiatra ou um psicólogo, um endocrinologista e um assistente social.

Atualmente existem apenas cinco centros de saúde credenciados pelo SUS que promovem cirurgias para afirmação de gênero no Brasil, localizados nas cidades de São Paulo, Rio de Janeiro, Porto Alegre, Goiânia e Recife. Para procedimentos ambulatoriais, que incluem acompanhamento multiprofissional e hormonoterapia, são 12 hospitais referenciados em todo o país. De acordo com o Ministério da Saúde, mesmo não sendo habilitados, o que implicaria em um custeio federal adicional, existem outros serviços de saúde no país que podem realizar procedimentos como mastectomia e cirurgia plástica.[10]

Em 2019, o Conselho Federal de Medicina publicou a **Resolução nº 2.265/2019**,[11] que atualizou as regras para o atendimento médico às pessoas transexuais. Uma mudança muito importante é a própria definição de transexualidade. A resolução anterior, no seu artigo 3º, definia para o *diagnóstico de transexualismo*, no mínimo, quatro critérios:

1. Desconforto com o sexo anatômico natural;
2. Desejo expresso de eliminar os genitais, perder as características primárias e secundárias do próprio sexo e ganhar as do sexo oposto;
3. Permanência desses distúrbios de forma contínua e consistente por, no mínimo, 2 anos;
4. Ausência de outros transtornos mentais.

Após sua revisão, agora se lê em seu artigo 1º: "Compreende-se por transgênero ou incongruência de gênero a não paridade entre a identidade de gênero e o sexo ao nascimento, incluindo-se neste grupo transexuais, travestis e outras expressões identitárias relacionadas com a diversidade de gênero." Outra mudança também se deve ao fato de não se mencionar mais a cirurgia de transgenitalização, e sim como diz em seu inciso § 5º: "Considera-se afirmação de gênero o procedimento terapêutico multidisciplinar para a pessoa que necessita adequar seu corpo à sua identidade de gênero por meio de hormonoterapia e/ou cirurgias."

Além disso, a nova resolução alterou também a idade para a cirurgia, que foi reduzida de 21 para 18 anos. Já as terapias hormonais passaram a ser liberadas a partir dos 16 anos. O tempo de acompanhamento para a realização da cirurgia, por sua vez, também foi reduzido para 1 ano. A nova resolução também contemplou questões como o bloqueio puberal e a hormonoterapia cruzada e o papel do psiquiatra, além de regulamentar os processos cirúrgicos, configurando-se então o Projeto Terapêutico Singular (PTS). A equipe médica mínima passou a conter pediatra (nos casos com até 18 anos de idade), psiquiatra, endocrinologista, ginecologista e cirurgião plástico, podendo incluir ainda outras especialidades médicas que atendam às necessidades do PTS, como a Otorrinolaringologia.

O Brasil ainda está muito atrasado quanto à legislação para os transexuais em relação a outros países, sendo que o direito à identidade do transexual no Brasil não é assegurado por nenhuma legislação específica.

Na Europa, a Inglaterra legalizou as cirurgias transexuais em 1967. Já a Holanda acatou não só a redesignação sexual, como também a adequação do prenome no registro civil do transexual em 1985. Além disso, decisões dos tribunais da França (1976) e Itália (1975) também consagraram a admissibilidade de redesignação sexual e alteração do seu registro civil. Nos Estados Unidos, em estados como Illinois (desde 1961) e Louisiana (desde 1968), é possível alterar o registro de nascimento após o processo de adequação sexual.[1]

Desde abril de 2016, o **Decreto nº 8.727/2016**[12] passou a reconhecer que, nas repartições e órgãos públicos federais, pessoas travestis e transexuais tenham sua identidade de gênero garantida e sejam tratadas pelo nome social. Existem também outras legislações específicas sobre esse direito a nível estadual e municipal. No Rio de Janeiro, por exemplo, é possível emitir uma carteira de identidade com o nome social reconhecido oficialmente. Ele também pode ser incluído em documentos como CPF, cartão do SUS e título eleitoral.

Em março de 2018, uma decisão do STF (**Ação direta de Inconstitucionalidade ADI 4275/DF**) reconheceu, aos transexuais, o direito de adequar o prenome e o sexo no assento do registro civil, independentemente da realização ou não da cirurgia de transgenitalização. E, para usufruir desse direito, não seria necessário o uso da via judicial, podendo ser realizado junto ao Cartório de Registro Civil.[1]

Segundo a ministra do Superior Tribunal de Justiça, Nancy Andrighi, além da permissão para a cirurgia de afirmação do gênero, o Estado deve prover os meios necessários para que a pessoa tenha uma vida digna. Por isso, é preciso adequar o sexo jurídico ao aparente, isto é, à identidade. Considerando que o sexo depende de elementos psicológicos, culturais e familiares, a definição do gênero não pode ser limitada ao sexo aparente. Nas palavras de Andrighi, a alteração do designativo de sexo, no registro civil, bem como do prenome do operado, é tão importante quanto a adequação cirúrgica.[1]

Para muitos autores essa mudança de prenome e sexo no registro civil resolve o problema mais agudo da vida cotidiana dos transexuais. Sua desvinculação da cirurgia para redesignação sexual é importante nos casos em que o paciente já se submeteu a transformações parciais com tratamento hormonal e/ou cirúrgico, mas não deseja ou ainda não realizou a cirurgia definitiva.[6]

Ainda há muitos empecilhos ao acesso da pessoa transgênero ao tratamento de sua condição, principalmente no SUS[8]. Nesse sentido, tanto os tratamentos quanto a legislação devem evoluir para garantir a universalidade e a igualdade de tratamento para essa população, para que essas pessoas possam alcançar o direito à saúde, ao desenvolvimento de sua personalidade e à dignidade que merecem.

REFERÊNCIAS BIBLIOGRÁFICAS

1. Bianque GF, Romeiro CSCP, dos Santos JL, de Paula CRC. O transexual e o Direito brasileiro. [Acesso em 2006]. Disponível em: https://guifajardo.jusbrasil.com.br/artigos/336214327/o-transexual-e-o-direito-brasileiro. .
2. Brasil. Ministério da Saúde. Secretaria de Atenção à Saúde. Portaria nº 457, de 19 de agosto de 2008. Processo transexualizador. Diário Oficial da União 19 de agosto de 2008.
3. Conselho Federal de Medicina (Brasil). Resolução nº 1482, de 10 de setembro de 1997. Cirurgia de transgenitalização do tipo neocolpovulvoplastia, neofaloplastia e ou procedimentos complementares sobre gônadas e caracteres sexuais secundários como tratamento dos casos de transexualismo. Diário Oficial da União 19 de agosto de 1997.
4. Brasil. Ministério da Saúde. Conselho Nacional de Saúde. Resolução nº 196, de 10 de outubro de 1996. Aprova diretrizes e normas reguladoras de pesquisas envolvendo seres humanos. Diário Oficial da União 10 de outubro de 1996.
5. Conselho Federal de Medicina (Brasil). Resolução nº 1652, de 06 de novembro de 2002. Dispõe sobre a cirurgia de transgenitalismo e revoga a Resolução CFM nº 1.482/97. Diário Oficial da União 02 de dezembro de 2002.
6. Arán M, Lionço T, Murta D, et al. Transexualidade e Saúde Pública: acúmulos consensuais de propostas para atenção integral. Texto elaborado a partir do Relatório Preliminar da Pesquisa Transexualidade e Saúde: condições de acesso e cuidado integral (IMS-UERJ/MCT/CNPq/MS/SCTIE/DECIT); Relatório das Reuniões realizadas no Ministério da Saúde sobre O Processo transexualizador no SUS (MS, 2006, 2007); Observatório do Instituto Antígona Entendendo os fundamentos jurídicos dos direitos dos GLBT. 2008.
7. Conselho Federal de Medicina (Brasil). Resolução nº 1.955, de 12 de agosto de 2010. Inicia autorizando a cirurgia de transgenitalização do tipo neocolpovulvoplastia e/ou procedimentos complementares sobre gônadas e caracteres sexuais secundários como tratamento dos casos de transexualismo. Diário Oficial da União 3 de setembro de 2010.
8. Rocon PC, Sodré F, Rodrigues A, et al. Desafios enfrentados por pessoas trans para acessar o processo transexualizador do Sistema Único de Saúde. Interface (Botucatu). 2019;23:e180633
9. Batista FA. O transgenero segundo o STF. [Acesso em 2019]. Disponível em: https://jus.com.br/artigos/73069/o-transgenero-segundo-o-stf.

10. Brasil. Ministério da Saúde. Gabinete do Ministro. Redefine e amplia o Processo Transexualizador no Sistema Único de Saúde (SUS). Diário Oficial da União 21 de novembro de 2013.
11. Ramos R. Dia Nacional da Visibilidade Trans: entenda quais os direitos que a legislação brasileira garante a travestis e pessoas transgênero. O Globo (online) 2020 jan 29. Disponível em: https://oglobo.globo.com/celina/dia-nacional-da-visibilidade-trans-entenda-quais-os-direitos-que-legislacao-brasileira-garante-travestis-pessoas-transgenero-24209147
12. Conselho Federal de Medicina (Brasil). Resolução nº 2.265, de 20 de setembro de 2019. Dispõe sobre o cuidado específico à pessoa com incongruência de gênero ou transgênero e revoga a Resolução CFM nº 1.955/2010. Diário Oficial da União 9 de janeiro de 2020.
13. Brasil. Decreto nº 8.727, de 28 de abril de 2016. Dispõe sobre o uso do nome social e o reconhecimento da identidade de gênero de pessoas travestis e transexuais no âmbito da administração pública federal direta, autárquica e fundacional. Diário Oficial da União 29 de abril de 2016.

PRINCÍPIOS MÉDICOS DO PROCESSO TRANSEXUALIZADOR

Lucas Resende Lucinda Mangia ▪ Bettina Carvalho

INTRODUÇÃO

A assistência em saúde de indivíduos transgênero deve ser pautada por princípios éticos e humanísticos em todos os níveis de complexidade. Atitudes de discriminação e exclusão contribuem para o aumento de vulnerabilidades e agravos nessa população, relacionados tanto com saúde física quanto mental. É fundamental destarte reconhecer que, ao mesmo tempo que são mais predispostos a determinadas condições clínicas, os indivíduos transgênero também sofrem de agravos prevalentes na população geral – os quais não devem ser negligenciados. Em âmbito de saúde pública, é primordial que se busque alcançar e englobar tais pessoas nas ações sanitárias, seguindo-se preceitos de universalidade e integralidade do cuidado. Da atenção em saúde primária àquelas especializadas e hospitalares, espera-se que o eixo do cuidado envolva atitudes de humanidade e acolhimento. Para tanto, a educação continuada dos profissionais da assistência em saúde é uma parte essencial das políticas públicas contemporâneas.

PRINCÍPIOS QUE REGEM O CUIDADO AO PACIENTE TRANSGÊNERO

Conforme estudos prévios, indivíduos transgênero procuram evitar assistência em saúde por causa de experiências prévias de preconceito e discriminação em ambientes similares.[1,2] Desse modo, a provisão de um ambiente seguro, acolhedor e culturalmente apropriado é importante – não apenas para garantir o acesso ao serviço de saúde, mas também para favorecer sua permanência e continuidade. A humildade cultural é um conceito importante aos profissionais que lidam com minorias, através do qual se compreende que as experiências e identidades individuais podem não se projetar nas experiências e identidades do outro. Assim, cada paciente deverá ser atendido sem pré-concepções ou pré-julgamentos.[3] Além disso, o treinamento de todo o corpo profissional que lidará com esses pacientes, incluindo aqueles que não prestarão assistência em saúde diretamente, como agentes de limpeza e secretários, é primordial. As políticas de uso dos banheiros também devem ser pensadas no atendimento desse público, garantindo a presença de instalações de gênero neutro ou determinando clara e expressamente que a escolha do banheiro deva ser feita conforme as preferências individuais. Nesse último caso, aconselha-se a existência de ao menos uma instalação neutra para uso por indivíduos não binários, em transição ou qualquer outro que se sinta desconfortável em ambientes de gênero específico.[3]

O uso do nome social deve ser respeitado em todo o ambiente de atendimento, bem como as inflexões linguísticas de gênero, conforme o desejo do indivíduo. Nesse sentido, questionários autoaplicáveis no primeiro atendimento podem ser valiosos.[3] As preferências individuais devem ser soberanas em respeito à dignidade e ao direito à personalidade.

Os profissionais de saúde devem garantir uma atitude empática diante do indivíduo atendido e devem manter sua abordagem e conduta livres de pré-julgamentos. Aos indivíduos transgênero devem ser sempre garantidos os direitos básicos à autonomia, intimidade, dignidade e liberdade. Desse modo, atitudes coercivas, comentários preconceituosos ou quebras de sigilo devem ser ativamente evitados. Por outro lado, os profissionais devem estar sempre dispostos a esclarecimentos e à escuta empática do indivíduo em acompanhamento. Além disso, preconiza-se a obtenção de consentimento livre e esclarecido previamente a qualquer procedimento, e o paciente deve se sentir seguro para manifestar vontades contrárias ou desistências. O exame físico deve seguir os mesmos princípios, salvaguardando a devida privacidade e a dignidade do sujeito atendido.[3]

BASES DO PROCESSO TRANSEXUALIZADOR

O processo transexualizador consiste de um modelo de abordagem dos indivíduos transgênero que visa a abordar a não conformidade entre o sexo biológico e a identidade de gênero. Primariamente, consiste em promover modificações em caracteres corporais, sexuais ou não, que aproximem a corporeidade do indivíduo à sua identidade de gênero. É um processo muito particular e individualizado, no qual cada paciente apresentará demandas próprias, desde as mais limitadas às mais abrangentes. Não é necessariamente realizado por todos os indivíduos transgênero, devendo ser respeitada a vontade manifestada por cada um deles. Assim, é possível que a incongruência de gênero manifestada por indivíduos diferentes seja abordada de maneiras distintas, conforme consentimento livre e esclarecido individualizado. Assim, pode-se desejar mudanças amplas e profundas, apenas tratamento hormonal, somente procedimentos específicos a determinadas características divergentes da identidade de gênero ou nenhum tratamento.[4] Há evidências científicas de que o processo transexualizador, quando realizado nos indivíduos com disforia de gênero que manifestam desejo de transição, é seguro e notadamente eficaz na abordagem da incongruência de gênero, favorecendo a inserção social e a autoaceitação dos pacientes.[3]

As equipes que cuidam dos pacientes transgênero em avaliação para processo transexualizador devem ser essencialmente multidisciplinares, de modo a garantir uma assistência abrangente e eficaz. Assim, em geral, contam minimamente com psicólogos, psiquiatras, endocrinologistas, ginecologistas, urologistas e cirurgiões plásticos. Acreditamos que os otorrinolaringologistas possam ter função importante nessas equipes, auxiliando no manejo das queixas vocais e também na execução de procedimentos e cirurgias em face. Assim, deve-se também considerar conjuntamente o papel de fonoaudiólogos especialistas em voz nesse acompanhamento. O trabalho em equipe, o sincronismo das ações e o diálogo entre os profissionais envolvidos são pilares importantes na conformação e no funcionamento dos núcleos de atendimento ao indivíduo transgênero.

Outro pilar importante do seguimento de pacientes transgênero é o de garantir a integralidade do cuidado ofertado, de modo a não limitar a abordagem às terapias de transição. Assim, seja em que momento do acompanhamento estiverem, ou mesmo na ausência de desejo à submissão ao processo transexualizador, é fundamental que a equipe garanta atenção global ao indivíduo. Essa atenção inclui, em especial, a saúde cardiovascular, o rastreio de neoplasias (p. ex., próstata para mulheres transgênero, e de mama e colo uterino para homens transgênero), os aspectos relacionados com saúde mental e social, as potenciais situações de risco e agravos relacionados, como sexo inseguro e abuso de substâncias, entre outros.

A SAÚDE MENTAL E O PROCESSO TRANSEXUALIZADOR

É fundamental que indivíduos transgênero, caso preciso, tenham acesso e sejam acolhidos por psicólogos e médicos psiquiatras, os quais poderão ter funções diversas e importantes no seguimento deles. Devido à elevada prevalência de transtornos de humor e abuso de substâncias entre esses pacientes, o cuidado inicial deve inclui-los no manejo. Vale recordar que muitas delas são efeito de ciclos viciosos de exclusão e discriminação sociais em virtude da incongruência de gênero e/ou do sofrimento pessoal secundário à discordância entre a subjetividade e as características corporais (disforia de gênero). Desse modo, a abordagem dessas questões deve ser particularizada, podendo incluir psicoterapia, manejo medicamentoso ou mesmo suporte para terapias de transição de gênero. Do mesmo modo, os profissionais ligados à saúde mental devem auxiliar em processos de autoconhecimento e aceitação, permitindo ao sujeito elaborar e entender sua subjetividade de modo livre. Esse tipo de conduta sustenta processos de consolidação de identidade e de decisão, os quais validarão e aumentarão as taxas de sucesso de eventuais processos de transição de gênero. Ainda que incomum na avaliação global de pacientes que passaram por processos de transição de gênero, há a possibilidade de insatisfação durante sua realização. É possível supor, que a participação ativa da equipe profissional desde o primeiro contato do indivíduo com os serviços de referência em transição de gênero até a efetiva manifestação de desejo de submissão ao processo transexualizador possa reduzir casos de insatisfação ou desistência. De qualquer modo, mesmo nesses casos em que há desistência, deve-se entender que a vontade do indivíduo é soberana e deverá ser respeitada a todo e qualquer momento do percurso.

De modo simplificado, indivíduos transgênero apresentam mais comumente três tipos de necessidades em termos de saúde mental:[3,4]

1. Exploração da identidade de gênero, que compreende o autoconhecimento, autoaceitação e autodeclaração. Esse processo pode incluir, em alguns casos, a preparação e a avaliação para diferentes procedimentos de afirmação de gênero;
2. Transição social, que inclui a exposição de seus sentimentos, desejos e identidade para familiares, amigos, colegas de trabalho, parceiros, entre outros. Deve incluir estratégias para enfrentamento de dificuldades advindas de situações de discriminação;
3. Questões gerais de saúde mental, que abordam condições ligadas à saúde mental, relacionadas ou não à identidade de gênero, como estresse pós-traumático, abuso de substâncias, ansiedade generalizada e transtornos depressivos.[5]

A Associação Profissional Mundial para a Saúde Transgênero publica diretrizes de cuidado com indivíduos transgênero que norteiam a atenção em saúde a esses indivíduos.[6] Nesse sentido, tais diretrizes reforçam a existência de um processo para a iniciação das terapias de transição. Assim, é preciso que profissionais qualificados identifiquem a existência de disforia de gênero persistente e a capacidade de se obter um consentimento informado. Nesse momento, é fundamental a exposição dos riscos, benefícios e dificuldades do tratamento, bem como o alinhamento de expectativas. Tais *nuances* devem incluir impactos possíveis não apenas em relação à saúde física, mas também no âmbito social. Estratégias para minimizar tais impactos devem ser discutidas e encorajadas. Ainda que haja divergências com determinadas legislações ao redor do mundo, nessas diretrizes a necessidade de anuência de profissionais de saúde mental prévia à transição de gênero não deveria ser obrigatória a todos os casos, podendo ser indicada caso a caso. Entretanto, acredita-se que a assistência em saúde mental deva ser ofertada ativamente antes e durante todo o processo. Esse tipo de assistência permitirá que o paciente tome as decisões de modo mais consciente ao longo do processo e que encontre apoio para as diversas situações e dificuldades inerentes à transição física e social.[6]

BASES MÉDICAS DO PROCESSO DE REDESIGNAÇÃO DE GÊNERO

As terapias de redesignação de gênero evoluíram enormemente nos últimos anos e incluem uma gama de condutas clínicas e cirúrgicas realizadas por profissionais de diferentes especialidades. Estão indicadas mediante a manifestação do desejo pelo indivíduo transgênero, após amplo esclarecimento e discussão de suas particularidades com profissionais habilitados. De modo simplificado, podem ser subdivididas em terapia hormonal e intervenções cirúrgicas (Quadro 3-1).

Terapia Hormonal

As terapias hormonais podem ser feminilizantes ou masculinizantes, conforme o efeito que se deseja alcançar com o uso dos hormônios. Nas terapias feminilizantes, o objetivo é alcançar características secundárias femininas e suprimir ou minimizar caracteres secundários masculinos. Efeitos gerais incluem desenvolvimento de mamas (usualmente para estágio de Tanner 2 ou 3), redistribuição da gordura subcutânea corporal e facial, redução da massa muscular, redução de pelos corporais (e, em menor extensão, dos pelos faciais), mudanças nos padrões de suor e interrupção ou até reversão de quedas de cabelo. Efeitos sexuais e gonadais incluem redução da função erétil, mudanças na libido, redução da contagem de espermatozoides e do fluido ejaculatório e diminuição do tamanho

Quadro 3-1. Principais cirurgias e procedimentos adotados no processo transexualizador

Objetivo	Cirurgia ou procedimento utilizado	
	Mulheres transgênero	Homens transgênero
Redesignação sexual	Vaginoplastia, orquiectomia	Faloplastia, escrotoplastia, metoidioplastia, histerectomia, ooforectomia, vaginectomia
Abordagem das características do tórax	Mamoplastia de aumento	Mastectomia
Alteração da voz e do aparelho fonatório	Condroplastia da cartilagem tireóidea (retirada do pomo de adão), tireoplastia para aumento do pitch vocal	Tireoplastia para redução do pitch vocal, cirurgia para realce da cartilagem tireóidea
Procedimentos em anexos da pele	Retirada de pelos de face, pescoço e região genital	Preparação para enxertias
Alterações faciais	Rinoplastia, cirurgias no arcabouço facial (mentoplastias e osteotomias), frontoplastia, preenchimentos	Rinoplastia, cirurgias no arcabouço facial (mentoplastias e osteotomias), frontoplastia, preenchimentos

testicular. A terapia hormonal feminilizante também pode trazer mudanças no funcionamento emocional e social.

A abordagem geral da terapia feminilizante é a combinação de um estrógeno com um bloqueador de andrógenos. Por vezes é também utilizado um progestágeno. A terapia estrogênica assemelha-se àquela de reposição em casos de hipogonadismo (p. ex., síndrome de Turner) ou no climatério, porém com particularidades da dosagem. Os principais efeitos colaterais dos estrógenos incluem migrâneas, alterações de humor, fogachos e ganho de peso. O uso de antiandrógenos permite o emprego de doses menores de estrógeno e contribuem para a supressão de caracteres sexuais masculinos nas mulheres transgênero. Algumas dessas características são permanentes após o período puberal e, portanto, irreversíveis apenas com medicação. A espironolactona é um bloqueador de andrógenos comumente usado na transição de gênero feminilizante. Outras opções incluem os inibidores de alfa-5-redutase (finasterida, dutasterida), o acetato de ciproterona e os análogos dos hormônios liberadores de gonadotrofina (GnRH). A orquiectomia é uma opção adicional para se obter minimização de efeitos androgênicos. Apesar de menos estudados, os prostágenos são muitas vezes reportados como eficazes no desenvolvimento areolar ou mamário e na melhora do humor e da libido.[7,8] A titulação da dosagem dos hormônios escolhidos deve seguir o balanço entre o alcance das metas pelos pacientes e os valores de referência fisiológicos para mulheres cisgênero. O acompanhamento periódico da paciente, mesmo após alcance de doses de manutenção, é estritamente recomendado.[3]

O objetivo da terapia hormonal masculinizante é o desenvolvimento de características sexuais secundárias masculinas e a supressão/minimização de caracteres sexuais secundários femininos. Está indicada para homens transgênero que manifestem o desejo de transição para o gênero autodeterminado. Seus efeitos incluem o desenvolvimento de pelo facial, virilização da voz, redistribuição da gordura subcutânea da face e do corpo, aumento da massa muscular, aumento dos pelos corporais, alterações do padrão de suor e alterações na linha do cabelo, possivelmente com calvície com padrão masculino. Efeitos sexuais e gonadais incluem aumento da libido, crescimento do clítoris, secura vaginal e cessação da menstruação. Comumente se atinge um estado anovulatório, o qual não afeta a fertilidade futura em caso de descontinuação do androgênio.[9] O funcionamento social e emocional também pode ser alterado de maneira individualizada. A abordagem geral envolve o uso de formulações parenterais de testosterona. De modo semelhante, a titulação da dose é feita conforme o alcance dos objetivos individuais e os níveis hormonais esperados em homens cisgênero. Atenção especial deve ser dada ao hematócrito, para se evitar situações de policitemia. A amenorreia por mais de 6 meses também é um sinal de resposta clínica. Os efeitos são individuais, de maneira que caracteres, como o crescimento da barba ou a mudança da voz, variam amplamente em grau e tempo de evolução entre os indivíduos. Mudanças no padrão de migrânea, acne e alterações da contagem de hemácias podem ocorrer. Além disso, dislipidemia, alterações no metabolismo da glicose e apneia obstrutiva do sono são possíveis efeitos do uso prolongado de andrógenos e devem ser monitorados em longo prazo.[10]

Em relação aos indivíduos com identidades de gênero não binárias, o processo de transição e afirmação de gênero é, por vezes, limitado a um processo subjetivo interno ou puramente social; para outros, o processo pode envolver uma variada gama de intervenções afirmativas médicas ou cirúrgicas. As novas versões dos protocolos internacionais de cuidado com esse público reconhecem a necessidade e a importância da abordagem individualizada.[3] Tanto a terapia hormonal quanto a escolha por procedimentos cirúrgicos devem seguir, dessa maneira, desejos e manifestações particulares.

Procedimentos e Intervenções Cirúrgicas mais Comuns
Cirurgias em Tórax/Mamas
Para homens trans, as técnicas mais comuns para masculinização do tórax incluem mastectomia subcutânea através de uma incisão periareolar ou por meio de uma mastectomia com enxerto livre de mamilos. Não há, entretanto, consenso em relação ao planejamento cirúrgico.[11-15] Com relação a mulheres trans, cirurgias para aumento das mamas envolvem mamoplastia com uso de implantes, os quais podem ser alocados abaixo do tecido mamário (subglandular) ou do músculo peitoral (subpeitoral). É importante lembrar que a terapia estrogênica e antiandrogênica estimulam o desenvolvimento inicial de tecido mamário e, assim, o tempo para o procedimento cirúrgico, nos casos em que houver manifestação de desejo, deve considerar previamente os efeitos locais dos hormônios.[11,12]

Cirurgias de Redesignação Sexual e em Órgãos Reprodutores
Em relação às cirurgias de redesignação sexual para mulheres trans, a técnica mais comum de vaginoplastia é uma variação do procedimento de inversão peniana. Nessa técnica, uma neovagina é estabelecida entre o reto e a uretra, no mesmo local que mulheres cisgênero, entre os músculos do assoalho pélvico. O revestimento da neovagina é feito a partir da pele peniana. Realiza-se, também, uma orquiectomia, de modo que os lábios maiores são determinados a partir da pele escrotal, e o clitóris é criado a partir de parte da glande peniana. A próstata é mantida no local para evitar complicações, como incontinência e estenoses uretrais, e a fim de se manterem as sensações erógenas locais.[3]

A faloplastia em homens transgênero envolve a criação de um neopênis utilizando um dentre vários procedimentos envolvendo enxertos livres ou retalhos pediculados, sendo os locais mais comuns para doação de tecido a porção radial do antebraço ou a região anterolateral da coxa. Mais comumente, é realizado após uma histerectomia e vaginectomia (ou ablação da mucosa vaginal). Da mesma forma, retalhos podem ser usados para se efetuar uma escrotoplastia, com ou sem a utilização de próteses testiculares. A uretra pode ser alongada com o uso de mucosa vaginal ou jugal, e um implante peniano com propriedades eréteis também pode ser utilizado.[3]

A metoidioplastia é um procedimento que utiliza o próprio clitóris aumentado através da terapia hormonal com andrógenos como base para a criação de um neofalo de cerca de 2,5 a 7,5 cm. Nesse sentido, utilizam-se apenas tecidos regionais para o procedimento e a uretra pode ou não ser transferida para o neofalo, conforme opção individual. Pode-se também criar uma bolsa escrotal a partir dos grandes lábios e realizar vaginectomia. Da mesma forma, próteses testiculares podem ser utilizadas durante o seguimento.

A histerectomia com ou sem salpingectomia/ooforectomia é considerada um componente necessário para afirmação de gênero nos casos de homens transgênero que buscam esses procedimentos.[5] O desejo de se realizar essa intervenção, entretanto, é variado nessa população e não pode, de modo algum, ser universalizado.[16]

Procedimentos em Pele e Anexos
O manejo de pelos indesejáveis é outro ponto importante na abordagem de muitos indivíduos transgênero. As mulheres transgênero em geral buscam remoção de pelos da face, pescoço e área genital, em caso de preparação para vaginoplastias.[17] Já os homens transgênero costumam buscar a remoção de pelos do antebraço ou da coxa em preparação para enxertia nas cirurgias de faloplastia.

Procedimentos em Voz e Face – Introdução ao Papel do Otorrinolaringologista

Outro ponto-chave no acompanhamento de indivíduos transgênero é a avaliação e o manejo da voz e das estratégias de comunicação. Quando há incongruência entre a identidade de gênero e o estilo de voz/comunicação, o indivíduo transgênero pode almejar intervenções específicas sobre o aparelho fonatório que melhorem seu bem-estar. Os aspectos relacionados com a voz e a comunicação sofrem forte influência do gênero e da cultura[18,19] e incluem características como intensidade, frequência, entonação, qualidade vocal, ressonância, articulação, velocidade de fala, timbre, escolha da linguagem e uso de estratégias não verbais.[20,21] É fundamental salientar que a alteração desses aspectos vocais e de comunicação relacionados com o gênero já foram associados à redução da disforia de gênero e à melhora da saúde mental e da qualidade de vida.[18] Ainda que o uso de hormônios possa promover alterações de características mais fundamentais da voz, em muitos indivíduos o resultado da terapia hormonal isoladamente pode ser insuficiente. Há diversas estratégias que podem ser utilizadas nesses casos, desde o treinamento vocal, terapias fonoaudiológicas específicas com profissionais especializados[18-22] e, em casos específicos, manejo cirúrgico com otorrinolaringologistas com treinamento em cirurgias das pregas vocais e do arcabouço laríngeo. Dessa maneira, para alguns pacientes, a fonocirurgia pode ser importante adjuvante à terapia vocal. Os princípios, as técnicas e os detalhamentos do acompanhamento e do manejo da voz em pacientes transgênero serão abordados de maneira mais extensiva em capítulos próprios deste livro.

Cirurgias e procedimentos para feminilização ou masculinização da face também podem ser empregados para melhora da conformidade da identidade de gênero com sua corporeidade. As técnicas são bastante variadas e devem ser escolhidas, obviamente, respeitando o desejo do indivíduo, mas também características relacionadas com idade, etnia, conformação estrutural da face, entre outras. Em geral, cirurgiões plásticos, cirurgiões craniomaxilofaciais ou otorrinolaringologistas especialistas em cirurgias da face podem estar aptos à realização dessas intervenções e, muitas vezes, trabalharão em conjunto para a obtenção do melhor resultado. De maneira semelhante, capítulos posteriores desta obra abordarão, de modo mais pormenorizado e específico, as técnicas e os princípios que regem a abordagem da face durante o processo de transexualização.

BASES DO CUIDADO COM JOVENS TRANSGÊNERO

O cuidado com jovens transgênero ou com incongruência de gênero é uma área de amplo debate e evolução na medicina, havendo ainda bastante controvérsia entre profissionais. É razoável acreditar que adultos transgênero foram jovens transgênero e que, se fossem identificados na infância ou na adolescência, poderiam ter se beneficiado do acesso a bloqueadores hormonais ou terapia hormonal em conformidade com sua identidade de gênero. Há dados escassos em relação ao manejo hormonal desses indivíduos, mas resultados promissores dos Países Baixos têm indicado que, em adolescentes, a abordagem pode resultar em melhor qualidade de vida e redução da disforia de gênero.[23,24] De qualquer modo, as legislações relacionadas com a abordagem de jovens transgênero são bastante diversas e têm sofrido mudanças progressivas, devendo o profissional da saúde que atende essa população estar atento a novas atualizações. Nos centros em que já há experiência com a abordagem de jovens transgênero, alguns princípios e especificidades começam a ser estabelecidos. Um dos principais desafios está na individualidade do desenvolvimento de cada indivíduo, de modo que tanto os caracteres sexuais secundários quanto a manifestação da disforia de gênero e da identidade de gênero são altamente variáveis quanto ao momento e à intensidade de surgimento. Sabe-se que profissionais de saúde mental têm um papel crucial no cuidado com jovens transgênero, uma vez que, mesmo antes da descoberta de uma identidade de gênero diversa, grande parcela desses indivíduos costuma apresentar sintomas de depressão, ansiedade, isolamento social, problemas comportamentais, dificuldades escolares e ideação suicida.[25] Em caso de necessidade e possibilidade de abordagem hormonal de jovens transgênero, o tipo de terapia sofrerá influência do estágio de desenvolvimento apresentado: se pré, peri ou pós-puberal. Em relação aos procedimentos cirúrgicos em jovens transgênero, a controvérsia quanto ao momento de sua realização é ainda maior. Falta, ainda, embasamento científico sólido que sustente sua prática de modo semelhante ao de adultos e os protocolos de manejo dos indivíduos transgênero mantém uma postura geral mais conservadora para esse público.[3] Ressalta-se, entretanto, que a demanda de indivíduos e familiares por transições de gênero em idades menores têm aumentado, de modo que, muitas vezes, a decisão cirúrgica é feita caso a caso, baseada na atuação e na voz de especialistas.[3] De qualquer maneira, esse deverá ser tema de intensos debates futuros tanto entre a comunidade científica quanto entre a sociedade geral.

REFERÊNCIAS BIBLIOGRÁFICAS

1. Melendez RM, Pinto RM. HIV prevention and primary care for transgender women in a community-based clinic. J Assoc Nurses AIDS Care JANAC. 2009;20(5):387-97.
2. Grant JM, Mottet LA, Tanis J, et al. Injustice at every turn: a report of the National Transgender Discrimination Survey [Internet]. National Center for Transgender Equality and National Gay and Lesbian Task Force. 2011
3. World Professional Association for Transgender Health (WPATH). Standards of Care for the Health of Transsexual, Transgender, and Gender Nonconforming People (Sétima Edição). Minneapolis: WPATH. 2012.
4. Deutsch MB, Feldman JL. Updated recommendations from the world professional association for transgender health standards of care. Am Fam Physician. 2013;87(2):89-93.
5. American Psychiatric Association, American Psychiatric Association, DSM-5 Task Force. Diagnostic and statistical manual of mental disorders: DSM-5. Arlington, Va.: American Psychiatric Association. 2013.
6. Coleman E, Bockting W, Botzer M, et al. Standards of Care for the Health of Transsexual, Transgender, and Gender-Nonconforming People, Version 7. Int J Transgenderism. 2012;13(4):165-232.
7. Wierckx K, Gooren L, T'Sjoen G. Clinical review: Breast development in trans women receiving cross-sex hormones. J Sex Med. 2014;11(5):1240-7.
8. Orentreich N, Durr NP. Proceedings: Mammogenesis in transsexuals. J Invest Dermatol. 1974;63(1):142-6.
9. Light AD, Obedin-Maliver J, Sevelius JM, Kerns JL. Transgender men who experienced pregnancy after female-to-male gender transitioning. Obstet Gynecol. 2014;124(6):1120-7.
10. Bhasin S, Cunningham GR, Hayes FJ, et al. Testosterone therapy in men with androgen deficiency syndromes: an Endocrine Society clinical practice guideline. J Clin Endocrinol Metab. 2010;95(6):2536-59.
11. Wolter A, Diedrichson J, Scholz T, et al. Sexual reassignment surgery in female-to-male transsexuals: an algorithm for subcutaneous mastectomy. J Plast Reconstr Aesthetic Surg JPRAS. 2015;68(2):184-91.
12. Monstrey S, Selvaggi G, Ceulemans P, et al. Chest-wall contouring surgery in female-to-male transsexuals: a new algorithm. Plast Reconstr Surg. 2008;121(3):849-59.
13. Berry MG, Curtis R, Davies D. Female-to-male transgender chest reconstruction: a large consecutive, single-surgeon experience. J Plast Reconstr Aesthetic Surg JPRAS. 2012;65(6):711-9.

14. Cregten-Escobar P, Bouman MB, Buncamper ME, Mullender MG. Subcutaneous mastectomy in female-to-male transsexuals: a retrospective co-hort-analysis of 202 patients. J Sex Med. 2012;9(12):3148-53.
15. Hage JJ, van Kesteren PJ. Chest-wall contouring in female-to-male transsexuals: basic considerations and review of the literature. Plast Reconstr Surg. 1995;96(2):386-91.
16. Grant JM, Mottet LA, Tanis J, et al. Injustice at every turn: a report of the National Transgender Discrimination Survey [Internet]. National Center for Transgender Equality and National Gay and Lesbian Task Force. 2011.
17. Ginsberg BA, Calderon M, Seminara NM, Day D. A potential role for the dermatologist in the physical transformation of transgender people: A survey of attitudes and practices within the transgender community. J Am Acad Dermatol. 2016;74(2):303-8.
18. Shelagh Davies, Joshua M. Goldberg. Clinical aspects of transgender speech feminization and masculinization. Int J Transgenderism. 2006;9(3-4):167-96.
19. Thornton J. Working with the transgender voice: The role of the speech and language therapist. Sexologies. 2008;17(4):271-6.
20. Coleman E, Bockting W, Botzer M, et al. Standards of Care for the Health of Transsexual, Transgender, and Gender-Nonconforming People, Version 7. Int J Transgenderism. 2012;13(4):165-232.
21. Carew L, Dacakis G, Oates J. The effectiveness of oral resonance therapy on the perception of femininity of voice in male-to-female transsexuals. J Voice. 2007;21(5):591-603.
22. Davies S, Papp VG, Antoni C. Voice and communication change for gender nonconforming individuals: Giving Voice to the Person Inside. Int J Transgenderism. 2015;16(3):117-59.
23. de Vries AL, McGuire JK, Steensma TD, et al. Young adult psychological outcome after puberty suppression and gender reassignment. Pediatrics. 2014;134(4):696-704.
24. de Vries AL, Steensma TD, Doreleijers TA, Cohen-Kettenis PT. Puberty suppression in adolescents with gender identity disorder: a prospective follow-up study. J Sex Med. 2011;8(8):2276-2283.
25. Reisner SL, Vetters R, Leclerc M, et al. Mental health of transgender youth in care at an adolescent urban community health center: a matched retrospective co-hort study. J Adolesc Health. 2015;56(3):274-279.

Parte II A Voz no Processo Transexualizador

ANATOMIA E FISIOLOGIA DA LARINGE E FONAÇÃO

Evaldo Dacheux de Macedo Filho ▪ Caroline Fernandes Rímoli

INTRODUÇÃO

O desenho de uma estrutura terá como resultante uma característica funcional. Ontogeneticamente, uma separação entre as vias aérea e digestiva aparece nos seres mais primitivos. Na escala evolutiva dos seres vivos, a partir dos vertebrados, a estrutura da laringe vai se delineando com o acréscimo de estruturas cartilaginosas e ligamentares aos rudimentares sistemas muscular valvulares. Assim, todos os vertebrados e até nossas crianças até os 5 anos apresentam o arcabouço laríngeo praticamente constituído, com exceção de algumas camadas histológicas, e estrategicamente localizado no nível da segunda vértebra cervical.

Com a evolução do ser humano, a laringe adulta sofre um descenso anatômico e passa a se situar entre a quinta e a sexta vértebra cervical. Assim como veremos mais adiante a função desta estrutura que era primariamente apenas de proteção de via aérea, passa a agregar condições para desenvolvimento de outras funções, notadamente a deglutição e em especial a fonação.

ANATOMIA DA LARINGE

A laringe é um órgão ímpar localizado na região cervical ventral mediana. Faz parte das vias aerodigestórias superiores e desenvolve papel fundamental de proteção das vias aéreas inferiores de penetração de secreção e de alimento (função esfincteriana).[1] Além disso, permite a passagem de ar entre a faringe e a traqueia (função respiratória) e é responsável pela fala (função fonatória).

O ádito da laringe é, como o nome indica, a entrada da laringe. Seus limites são formados pela face laríngea da epiglote, anteriormente, as pregas ariepiglóticas, lateralmente, e a prega interaritenóidea, posteriormente.

A laringe é dividida em regiões ou andares, como representado na Figura 4-1:[2] supraglote, glote e subglote (infraglote).

A **supraglote** é composta pela epiglote, pelas pregas ariepiglóticas (que contêm os músculos ariepiglóticos e as cartilagens corniculadas e cuneiformes), pelas bandas ventriculares (falsas pregas vocais) e pelos ventrículos de Morgagni.

A **glote** contém as pregas vocais, incluindo a comissura anterior e posterior, e divide-se em duas porções: a fonatória (porção intermembranosa ou anterior) e a respiratória (porção intercartilaginosa ou posterior). A porção fonatória insere-se anteriormente na cartilagem tireóidea por meio do tendão da comissura anterior e a inserção posterior se

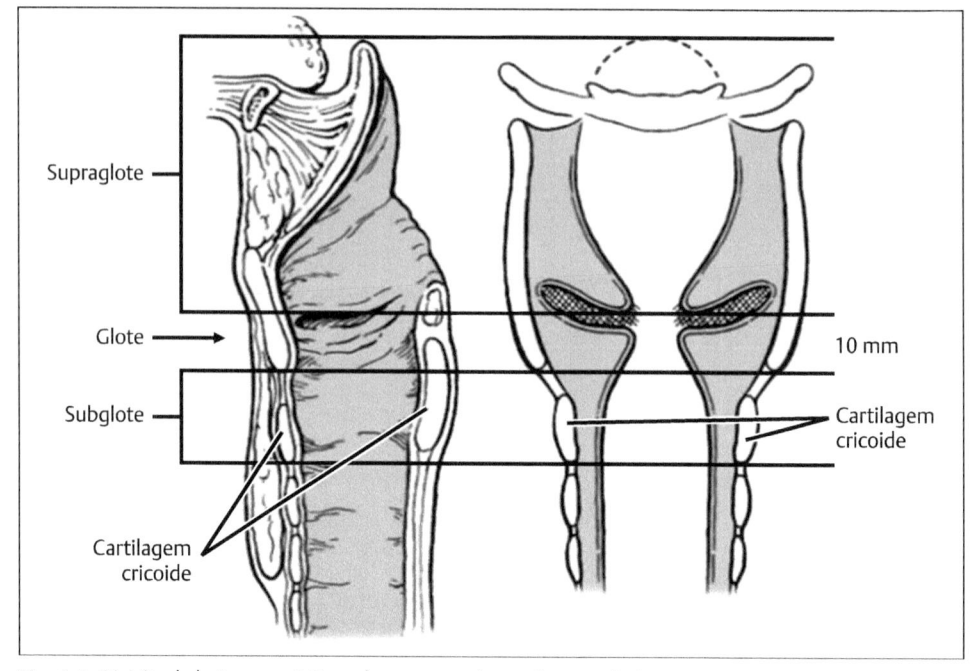

Fig. 4-1. Divisão da laringe em três andares: supraglote, glote e subglote.[2]

dá no processo vocal da cartilagem aritenóidea. O plano horizontal da glote possui aproximadamente 1 cm de altura.

Tão relevante quanto o estudo das estruturas macroscópicas é a recordação da ultraestrutura das pregas vocais (Fig. 4-2). Como demonstrado por estudos histológicos de Hirano,[3,4] a estrutura das pregas vocais é organizada em camadas com propriedades mecânicas distintas, e se diferenciam pela concentração de elastina e colágeno. As camadas mais superficiais tendem a ser mais maleáveis, ao passo que há uma gradativa rigidez conforme se aproxima do músculo vocal. Em sua famosa **Teoria do Corpo e Cobertura**, expõe que o epitélio e a camada superficial da lâmina própria (espaço de Reinke) correspondem à cobertura, enquanto o ligamento vocal (composto pelas camadas intermediária e profunda da lâmina própria) juntamente com o músculo vocal, ao corpo. No momento da cirurgia, quanto menos nos aprofundamos em camadas desnecessárias ao ato, menor é a chance de formação de fibrose e, consequentemente, melhor o resultado vocal.

A **subglote**, por sua vez, é a região que compreende o limite inferior da glote até a borda inferior da cartilagem cricóidea. Inferiormente, este conjunto se conecta à traqueia.

Internamente, a laringe é ampla nos andares cranial (supraglote) e caudal (infraglote) e estreita no andar glótico.[5]

Os seios piriformes, os quais não são componentes da laringe, mas sim da hipofaringe, encontram-se lateralmente às aritenoides, correspondendo ao espaço entre as cartilagens tireoide e cricoide. Por eles devem seguir as secreções e alimentos em direção ao esôfago, que se encontra posterior à laringe. As estruturas supraglóticas se projetam como um cilindro no interior da hipofaringe.

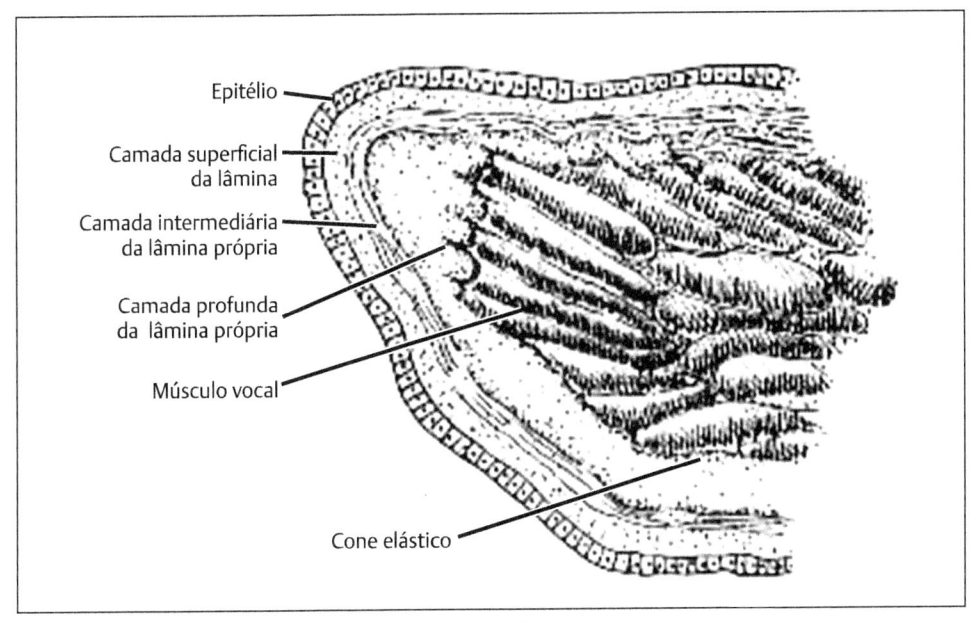

Fig. 4-2. Representação da ultraestrutura da prega vocal.[4]

A laringe é formada por nove cartilagens unidas por membranas e ligamentos. Três são ímpares (epiglote, tireoide e cricoide) e três são pares (aritenoides, corniculadas e cuneiformes). A epiglote tem a forma de uma folha e localiza-se dorsalmente à base da língua e ventralmente ao ádito laríngeo, sendo fixada à porção mediana do osso hioide e à cartilagem tireóidea pelos ligamentos hioepiglótico e tireoepiglótico. A tireoide tem formato de escudo e é a maior cartilagem da laringe. Apresenta duas lâminas que se fundem ventralmente em ângulo diedro na linha média do pescoço, estabelecendo a proeminência laríngea, ou pomo de Adão. O conhecimento preciso da projeção da prega vocal sob a lâmina da cartilagem tireóidea é de extrema importância para o sucesso da cirurgia de tireoplastia tipo I.[6] A cartilagem cricóidea é um anel completo que se articula com as aritenoides pela articulação cricoaritenóidea e com a tireoide pela articulação cricotireóidea. As aritenoides se situam sobre a borda posterior da lâmina da cricoide e exibem formato de uma pirâmide triangular. Apresentam duas projeções: uma apófise ventral ou interna, o processo vocal, onde se insere o ligamento vocal, e uma apófise dorsal ou externa, o processo muscular, onde se inserem os músculos cricoaritenóideos posterior e lateral.[1] Sobre a aritenoide e a prega ariepiglótica encontram-se as cartilagens corniculadas e cuneiformes.

O osso hioide, ímpar, em formato de ferradura, é quem exerce a função de suporte e suspensão de todo esse conjunto.

Os músculos da laringe se dividem em extrínsecos (entre a laringe e os órgãos adjacentes) e intrínsecos (entre estruturas internas). Externamente ao arcabouço laríngeo estão os músculos tíreo-hióideo, estilo-hióideo, milo-hióideo, digástrico, estilofaríngeo e palatofaríngeo, os quais são levantadores da laringe. Dentre os abaixadores, tem-se o omo-hióideo, esterno-hióideo, esternotireóideo e o tíreo-hióideo, que se originam e inserem-se nas estruturas que compõem seus nomes. A musculatura intrínseca é responsável pelos movimentos de adução, abdução e tensão das pregas vocais. Todos os músculos intrínsecos são pares, exceto o músculo aritenóideo, o qual une as aritenoides e forma a comissura posterior. Dentre os adutores, tem-se o cricoaritenóideo lateral e o aritenóideo. O único músculo abdutor é o cricoaritenóideo posterior. O músculo cricotireóideo é o grande tensor, já que aproxima anteriormente as cartilagens cricoide e tireoide, e o músculo tireoaritenóideo é o músculo vocal propriamente dito. Dentre outros músculos, estão o ariepiglótico e o tireoepiglótico.[7]

É significativo citar dois espaços compostos por tecido adiposo, tecido conjuntivo e vasos, que são os espaços pré-epiglótico e o paraglótico. O primeiro estende-se ao redor da epiglote e o segundo é limitado pela membrana quadrangular e pelo cone elástico medialmente, pela cartilagem tireóidea lateralmente e pelo recesso piriforme caudalmente.[8] O conhecimento desses espaços é relevante na avaliação de extensão e estadiamento dos tumores laríngeos.

Lateralmente à laringe, existe o feixe vasculonervoso do pescoço, constituído pela veia jugular, artéria carótida e nervo vago. Todas essas estruturas têm relação com a laringe, seja na sua irrigação (através das artérias e veias tireóideas superiores e inferiores) ou na sua inervação. Todos os músculos intrínsecos da laringe são inervados pelo nervo laríngeo recorrente (inferior), ramo do nervo vago, exceto o músculo cricotireóideo, cuja inervação se dá pelo ramo externo do nervo laríngeo superior. O ramo interno, por sua vez, penetra na membrana tíreo-hióidea e faz a inervação sensitiva da mucosa da laringe da epiglote até as pregas vocais, enquanto o nervo laríngeo recorrente, que é misto, inerva sensitivamente a laringe abaixo da glote. O nervo laríngeo recorrente possui um trajeto peculiar – emerge do nervo vago, contorna o tronco braquiocefálico à direita e o arco aórtico à esquerda, segue um trajeto ascendente no sulco traqueoesofágico, e penetra na laringe próximo ao corno inferior da cartilagem tireóidea e ao músculo cricoaritenóideo posterior. À direita, o nervo inicia seu trajeto mais lateral, com trajetória mais oblíqua, por isso a preferência da esofagectomia e da artrodese cervical serem à esquerda, quando optado pela técnica cervical. No que diz respeito aos linfáticos da laringe, sua rede é abundante na supraglote e na subglote, porém escassa na região glótica, o que lhe confere um padrão em ampulheta.

FUNÇÕES DA LARINGE

As funções da laringe são: **proteção da via aérea**, controle local da **respiração** pelos movimentos das pregas vocais de adução e abdução, participar de maneira determinante do complexo e coordenado mecanismo de **deglutição** e, finalmente, a **fonação**, que só será possível com a associação de um amadurecimento cerebral cortical, uma intrínseca e detalhada inervação, uma peculiar histologia, que permite a vibração das pregas vocais e a possibilidade de, a partir da emissão sonora na fonte glótica, ainda modificar este som nas cavidades de ressonâncias da via aérea superior e no controle articular, que determinará assim o desenvolvimento da fala e, em última instância, da comunicação, o que nos distingue de outros animais.

FISIOLOGIA DA FONAÇÃO

Para a produção da voz, nós devemos ter a integração de três sistemas: 1. sistema de produção de pressão aérea; 2. sistema de vibração; e 3. sistema de ressonância, que agregará as características pessoais de cada voz.

O sistema de produção de pressão aérea é composto pela via aérea inferior, a qual, através do ar expirado, com aumento da pressão subglótica controlado pela mobilidade das pregas vocais, vai determinar o quanto de ar é necessário para a produção sonora.

Este volume de ar expirado pode ser quantificado, de forma simples, pela análise do tempo máximo fonatório (TMF), que em pessoas normais está ao redor de 20-30 segundos. TMF curto significa que as pessoas apresentam algum grau de dificuldade de controle do ar no plano glótico, fato encontrado em casos de fendas glóticas amplas ou ainda a associação de patologias da via aérea inferior, que limitem o fluxo e volume do ar expirado, tais como, por exemplo, nas doenças obstrutivas e restritivas pulmonares ou ainda nas estenoses traqueais.

O sistema de vibração é o mecanismo que ocorre no plano da prega vocal devido a sua característica histológica peculiar, como já previamente mencionado, que permite que o epitélio e as camadas da lâmina própria vibrem sobre o músculo tireoaritnóideo ou vocal (TA) com a passagem do ar e o controle glótico, constituindo assim um vibrador de dupla camada.[3] Quaisquer problemas estruturais congênitos ou adquiridos que estejam presentes nestas camadas, afetarão a produção qualitativa da voz.[9]

Esta vibração é modulada pelo ar, que passa entre as pregas vocais, aproxima os lábios das pregas vocais (bordas livres), que num movimento coordenado, deve simétrica e periodicamente controlar a abertura da luz nas áreas de contato entre as pregas vocais, graças ao efeito físico de Bernoulli, no qual a passagem de ar entre duas superfícies em alta velocidade provoca a aproximação das estruturas.[9] A inervação local através de ramos dos nervos laríngeos superior e inferior, controlarão a mobilidade das pregas vocais e a necessária tensão local para a produção da voz. Lembramos que o som produzido neste local é um *buzzy* sonoro.[10]

O sistema de ressonância recebe este som produzido na glote, com fluxos expiratórios controlados, assim como as estruturas da cavidade oral, faringe, narinas e seios paranasais, que agregarão características anatômicas pessoais de cada indivíduo, e como resultante terminará com uma emissão sonora, a VOZ. A anatomia de cada indivíduo, as condições ambientais e o treinamento vocal poderão determinar níveis diferenciados de características e qualidade vocal. É o que diferencia a população em geral, que faz da voz um instrumento de uso rotineiro para sua comunicação, dos profissionais da voz (professores, profissionais de *telemarketing* etc.), que a utilizam como meio de trabalho.[11] Incluímos aqui grandes especialistas vocais tais como os cantores líricos que desenvolvem um controle e treinamento rígido, estrito e muito avançado para alcançarem seus resultados fonatórios.[7]

Modernamente, após décadas de discussões acadêmicas, aceita-se a integração das teorias mioelásticas com a teorias aerodinâmicas, como a responsável para a explicação dos mecanismos de fonação. Assim, sabemos que uma energia aerodinâmica é transformada em energia acústica.[10]

O som vocal, produzido pelo aparelho fonador alcança suas características de altura da voz, conhecido por *pitch* fonatório que é medido em hertz (ciclos/s), pois é a expressão da frequência fundamental (FF) do som gerado na laringe. As crianças possuem FF alta, acima de 300 Hz, e, após a adolescência, as mulheres mantêm seu *pitch* fonatório entre 200-300 Hz, e os homens, pelas alterações hormonais e anatômicas deste período, passam a ter uma FF de 12-180 Hz.[10] Condições de desenvolvimento com mudas vocais incompletas masculinas tendem a manter a FF alta, apesar de na maioria dos casos a anatomia manter-se normal. Na mulher, a FF tende a cair após a menopausa por causa das modificações hormonais. Doenças de fundo hormonal ou mesmo tratamentos hormonais podem alterar este equilíbrio na FF. Fatores próprios do envelhecimento podem modificar a frequência fundamental em homens e mulheres, gerando transtorno de identidade e comunicação numa população crescente.

FATORES QUE PODEM INFLUENCIAR NO APARECIMENTO DAS DISFONIAS E LESÕES LARINGOLÓGICAS

Capítulos sequenciais abordarão em detalhes as lesões laringológicas, mas consideramos que o conhecimento de que as disfonias incluem quaisquer alterações na produção da voz torna-se importante uma observação adicional. Queixas como dificuldade de alcançar notas, quebras vocais, cansaço vocal, fraqueza na voz, tom diferente do habitual, dor à fonação são tão importantes quanto a rouquidão.[12]

Assim, alterações congênitas, comprometimento neurogênico de diferentes ordens, alterações respiratórias, processos inflamatórios de vias aéreas superiores e inferiores, doença do refluxo gastroesofágico, doenças neoplásicas da via aerodigestiva, alterações vibratórias das pregas vocais, alterações ressonantais, trauma externo ou interno e alterações emocionais e de identidade sexual podem relacionar-se com a produção de disfonia e de lesões laringológicas.

REFERÊNCIAS BIBLIOGRÁFICAS

1. Dedivitis RA. Anatomia da laringe. In: Métodos de avaliação e diagnóstico de laringe e voz. São Paulo: Lovise; 2002. p. 5-38.
2. Hirano M. Phonosurgery: Basic and clinical investigation. 1975:239-440.
3. Hirano M. Structure of vocal fold in normal and disease states: Anatomical and physical studies. ASHA Rep. 1981;11:11-30.
4. Lesperance M, Flint PW, Haughey BH. Cummings Otorrinolaringologia Cirurgia de Cabeça e Pescoço. 6th ed. 2017. p. 744-50.
5. Araujo Filho VJF, Cernea CR, Brandão LG. Manual do residente de cirurgia de cabeça e pescoço. 2nd ed. Barueri. 2013. p. 275-76.
6. Paulo S. Ronaldo Frizzarini Análise tomográfica para o planejamento da tireoplastia tipo I: estudo experimental em laringes humanas excisadas. São Paulo. Tese (Doutorado em Ciências) – Universidade de São Paulo; 2007.
7. Martins RHG. A voz e seus distúrbios. Botucatu: Cultura Ac; 2005. p. 16-18.
8. Tucker GF, Smith H. A histological demonstration of the development of laryngeal connective tissue compartments. Am Acad Ophthalmol Otolaryngol. 1962;66:308-18.
9. Behlau M, Pontes P. Avaliação e tratamento das disfonias. São Paulo. Editora Lovise; 1995:218-225.
10. Bless DM. Videostroboscopic Examination of the Larynx. San Diego: Singular Publlishing; l993.
11. Titze IR. Principles of Voice Production. Prentice Hall; 1994.
12. Macedo ED. Videolaryngoestroboscopy for pre-admissional examination of school teachers. In: The Voice Foundation Abstract Booklet-25 Annual Symposium, Philadelphia. 1996.

AVALIAÇÃO OTORRINOLARINGOLÓGICA DO PACIENTE TRANSGÊNERO

Guilherme Simas do Amaral Catani
Maria Eduarda Carvalho Catani • Pedro Carrion Carvalho

INTRODUÇÃO

A voz desempenha um papel extremamente importante na interação social, pois além de ser ferramenta de linguagem e de comunicação, também fornece informações sobre identidade e características de personalidade, atitudes e emoções. Tem impacto direto na construção social do gênero. A comunicação verbal e não verbal são aspectos importantes do comportamento humano e da expressão de gênero.[1,2]

Sendo a voz um fator marcante na percepção do gênero, a não conformidade entre estes elementos pode gerar sentimentos de inadequação, tendo um potencial impacto psicossocial. Em decorrência disto, as pessoas trans podem experimentar várias formas de angústia referentes a como se sentem em relação ao seu gênero, ou sobre como seu gênero é lido socialmente, além de outros fatores psicossociais não específicos de gênero.[2-4]

As intervenções profissionais, médicas e fonoaudiológicas, contribuem para uma transição de gênero efetiva. O objetivo principal é obter uma voz e um modo de comunicação mais confortáveis e autênticos para as pessoas trans. A autopercepção quanto à qualidade de sua voz é um aspecto fundamental para uma transição bem-sucedida.[5-7]

ACOLHIMENTO

O acolhimento representa o primeiro contato entre o médico e o paciente, por isso é fundamental que desde a primeira consulta uma boa relação entre ambos os lados seja estabelecida. Para que isso ocorra, a relação médico-paciente deve seguir alguns princípios básicos da bioética:

A) *Princípio da autonomia*: o paciente tem a liberdade de decisão sobre o seu corpo, vida e, consequentemente, tratamento. As decisões médicas devem ser consentidas pelo paciente;
B) *Princípio da beneficência*: obrigação ética do médico de maximizar o benefício e minimizar o prejuízo;
C) *Princípio da não maleficência*: as ações do médico devem causar o menor prejuízo possível ao paciente;
D) *Princípio da justiça*: garantir a equidade.

Os recursos devem ser distribuídos conforme a necessidade de cada paciente, a fim de solucionar ou reduzir ao máximo o problema de cada um.

Nome social é um termo que se dá ao nome com o qual uma pessoa quer ser tratada, independente do motivo (que pode ou não estar relacionado com a sua identidade de gênero) e os registros civis. É um direito de todos os usuários do Sistema Único de Saúde (SUS)[8] e, portanto, é dever das equipes de profissionais e de todos os setores de uma unidade de saúde tratarem a pessoa com o nome e com os pronomes (masculinos, femininos ou neutros) que ela desejar. Esse nome deve constar em todos os registros do serviço de saúde, como cartão do SUS, documentos, receitas e quaisquer formulários utilizados, com garantia de que a pessoa não seja constrangida ao ter seu nome social confrontado com o nome de registro civil. O nome civil não deve ser tornado público. Segundo Russell *et al.*, o respeito ao nome social gerou redução de 29% nas ideações suicidas e de 56% de comportamentos suicidas entre jovens dos EUA, o que demonstra sua importância como ferramenta de cuidado de homens e mulheres trans, travestis e de gênero diverso dentro de serviços de saúde.[9]

AVALIAÇÃO MÉDICA

Anamnese

O termo anamnese tem origem grega e consiste em uma entrevista realizada pelo profissional da área de saúde ao paciente, sendo um dos pontos mais importantes para o diagnóstico e a decisão de possíveis tratamentos.

A avaliação otorrinolaringológica, como qualquer outra avaliação médica, deve envolver um exame clínico, que envolve a história e o exame físico. A história médica deve se concentrar no comportamento vocal do indivíduo, queixa principal, hábitos, história pessoal e familiar.

Lembrar que várias doenças sistêmicas podem afetar a vocalização. Obter informações sobre a saúde geral do indivíduo, incluindo outras áreas médicas que também podem afetar a laringe, como alergologia, endocrinologia, gastroenterologia, neurologia, oncologia, psiquiatria e pneumologia. Pesquisar sobre o uso de medicamentos, fadiga, sono, ansiedade, estresse, prática de canto, sensação de esforço, tabagismo, etilismo, consumo de drogas e sintomas compatíveis com refluxo.

Características Vocais a Serem Avaliadas[2]:
- Frequência fundamental da fala;
- Ressonância;
- Entonação;
- Qualidade vocal.

Exame Físico Otorrinolaringológico

Primeiramente é importante analisar o paciente de forma geral quanto às faces, atitudes, nutrição e outros. Durante o exame físico otorrinolaringológico deve-se avaliar a ectoscopia da face e do pescoço, otoscopia, rinoscopia anterior, boca, faringe, laringe, palpar do pescoço, observando e relatando características gerais da voz e aspecto, simetria e mobilidade das diversas estruturas do trato aerodigestivo superior, em repouso e movimento.[10]

Observar as articulações temporomandibulares, abertura e fechamento bucal, oclusão e avaliação geral dos dentes e da gengiva. Além disso uma avaliação geral do pescoço: musculatura cervical como um todo, amplitude de movimentos, pontos dolorosos, cadeias linfáticas, laringe, tireoide e pulsos carotídeos.

Avaliação das Pregas Vocais

Deve ser realizado exame detalhado das pregas vocais de preferência com a videoestroboscopia, que permite a visualização, em tempo real, do fechamento glótico, além da movimentação da onda mucosa durante a fonação. Outros parâmetros também são avaliados como frequência fundamental, simetria, amplitude e periodicidade.[11]

O paciente é posicionado na posição sentada, com a língua mantida fora da boca enquanto o laringoscópio é inserido em direção à orofaringe, até se observar inferiormente a laringe. Às vezes, é necessária anestesia local. Instruir o paciente a pronunciar o som da vogal /eeeeee/, manter sua frequência e intensidade sonoras habituais e, em seguida, emitir o som da vogal /iiiiii/, pois isso permite a elevação da laringe e da epiglote, facilitando a visualização da glote e seios piriformes.[12,13]

Avaliar o aspecto e/ou mobilidade de: língua, palato, faringe, tonsilas palatinas, base de língua, váléculas, epiglote, pregas ariepiglóticas, pregas vestibulares, aritenoides, regiões interaritenóidea e retrocricóidea, seios piriformes, pregas vocais, subglote e traqueia.[13,14]

Gravação de Imagem e Som

Gravar em áudio e vídeo para acompanhar a evolução do tratamento. Pode-se pedir para o paciente falar o nome completo, citar os meses do ano ou os dias da semana. Além disso, é importante a gravação do /eeeee/ sustentado. Com as gravações é possível determinar a frequência fundamental, um parâmetro fundamental na redesignação vocal. Frequência fundamental abaixo de 145 Hz é geralmente identificada como masculina e acima de 165 Hz como feminina.[15]

Protocolos

A autoavaliação vocal tem sido muito valorizada, pois tenta captar a percepção do paciente com relação a sua voz. Por ser medida subjetiva, é muito utilizada para realizar a comparação com as medidas objetivas realizadas durante a avaliação. Há várias maneiras de mensurá-la: por meio de questões, alternativas de múltipla escolha e a escala analógica visual.

O mais conhecido é o *Voice Handicap Index (VHI)*, composto por 30 questões, amplamente utilizado no mundo, mas considerado longo para o uso clínico e, de certa forma, redundante. Uma versão reduzida deste protocolo, o *VHI-10*, foi desenvolvida mantendo as dez questões de maior relevância clínica. O *VHI-10* já é validado para a língua portuguesa.[16]

Existem protocolos direcionados para homens e mulheres trans que também podem ser utilizados, como o *Transsexual Voice Questionnaire (TVQMtF)*[17] também já validado para o português.[18] Este protocolo é direcionado inicialmente para mulheres trans, e existe uma adaptação para homens trans, o *Transsexual Voice Questionnaire Female to Male (FtM) (TVQFtM)*. As duas versões são compostas por 30 questões.[19]

CONCLUSÃO

A consulta deve suprir todas as informações que o paciente necessita. Muito importante é a percepção da expectativa. O médico deve fazer uma análise clara entre a expectativa e a possibilidade. Quando isto não é feito, o risco de insatisfação e frustração é muito maior. As avaliações não devem ser apressadas, todas as dúvidas devem ser sanadas. Adotar uma postura profissional, amigável e acessível só fortalece a relação médico-paciente.

REFERÊNCIAS BIBLIOGRÁFICAS

1. Bockting W, Coleman E, Deutsch MB, et al. Adult development and quality of life of transgender and gender nonconforming people. Curr Opin Endocrinol Diabetes Obes [Internet]. 2016;23(2):188-97.
2. Davies S, Goldberg JM. Clinical Aspects of Transgender Speech Feminization and Masculinization. Int J Transgenderism [Internet]. 2006;9(3-4):167-96.
3. Carew L, Dacakis G, Oates J. The Effectiveness of Oral Resonance Therapy on the Perception of Femininity of Voice in Male-to-Female Transsexuals. J Voice [Internet]. 2007;21(5):591-603.
4. Neumann K, Welzel C, Berghaus A. Operative voice pitch raising in male-to-female transssexuals. A survey of our technique and results. HNO [Internet]. 2003;51(1):30-7.
5. Barros AD, Cavadinha ET, Mendonça AVM. A percepção de homens trans sobre a relação entre voz e expressão de gênero em suas interações sociais. Tempus Actas de Saúde Coletiva [Internet]. 20186;11(4):09.
6. Azul D. Transmasculine people's vocal situations: a critical review of gender-related discourses and empirical data. Int J Lang Commun Disord [Internet]. 2014;50(1):31-47.
7. Azul D. Gender-related aspects of transmasculine people's vocal situations: insights from a qualitative content analysis of interview transcripts. Int J Lang Commun Disord [Internet]. 2016;51(6):672-84.
8. Brasil. Decreto nº 8.727, de 28 de abril de 2016. Uso do nome social e reconhecimento da identidade de gênero de pessoas travestis e transexuais no âmbito da administração pública federal direta, autárquica e fundacional. Diário Oficial da União 29 de abril de 2016.
9. Russell ST, Pollitt AM, Li G, Grossman AH. Chosen Name Use Is Linked to Reduced Depressive Symptoms, Suicidal Ideation, and Suicidal Behavior Among Transgender Youth. J Adolesc Health [Internet]. 2018;63(4):503-5.
10. Associação Brasileira de Otorrinolaringologia e Cirurgia Cérvico-Facial – ABORL-CCF. 3º Consenso Nacional sobre Voz Profissional; voz e trabalho: uma questão de saúde e direito do trabalhador. Rio de Janeiro. 2004.
11. Dejonckere PH, Bradley P, Clemente P, et al. A basic protocol for functional assessment of voice pathology, especially for investigating the efficacy of (phonosurgical) treatments and evaluating new assessment techniques: Guideline elaborated by the Committee on Phoniatrics of the European Laryngolo. Eur Arch Oto-Rhino-Laryngology. 2001;258(2):77-82.
12. Heman-Ackah YD. Diagnostic tools in laryngology. Curr Opin Otolaryngol Head Neck Surg [Internet]. 2004;12(6):549-52.
13. Sulica L. Laryngoscopy, Stroboscopy and Other Tools for the Evaluation of Voice Disorders. Otolaryngol Clin North Am [Internet]. 2013;46(1):21-30.
14. Van Borsel J, Baeck H. The voice in transsexuals. Rev Logop Foniatr y Audiol [Internet]. 2014;34(1):40-8.
15. Pasternak K, Francis DO. An update on treatment of voice-gender incongruence by otolaryngologists and speech-language pathologists. Curr Opin Otolaryngol Head Neck Surg. 2019;27(6):475-81.
16. Costa T, Oliveira G, Behlau M. Validation of the Voice Handicap Index: 10 (VHI-10) to the Brazilian Portuguese. Codas. 2013;25(5):482-5.
17. Dacakis G, Oates JM, Douglas JM. Further Evidence of the Construct Validity of the Transsexual Voice Questionnaire (TVQMtF) Using Principal Components Analysis. J Voice [Internet]. 2017;31(2):142-8.
18. Schwarz K, Fontanari AMV, Mueller A, et al. Transsexual Voice Questionnaire for Male-to-female Brazilian Transsexual People. J Voice [Internet]. 2017;31(1):120.e15-120.e20.
19. Bultynck C, Pas C, Defreyne J, et al. Organizing the voice questionnaire for transgender persons. Int J Transgenderism [Internet]. 2019;21(1):89-97.

ATUAÇÃO FONOAUDIOLÓGICA JUNTO AO PACIENTE TRANSGÊNERO

CAPÍTULO 6

Congeta Bruniere Xavier

INTRODUÇÃO

A voz pode ser considerada um dos principais marcadores da identidade pessoal. Ela é resultado tanto de fatores biológicos, que são inerentes ao indivíduo, como também é constituída por modelos vocais incorporados por ele ao longo da vida,[1] através dos relacionamentos interpessoais e da interação em determinado meio cultural.[2]

Além disso, a voz também pode refletir características básicas da personalidade do falante; o estado emocional e o contexto comunicativo vivenciados por ele podem influenciar diretamente na sua produção vocal e, de modo consequente, nas características sonoras.[1]

Nesse sentido, os traços sonoros identificáveis na voz de um indivíduo e, consequentemente, na sua comunicação, podem revelar muito mais do que parâmetros vocais de frequência e irregularidade, mas podem evidenciar sua história de vida e sua essência – sua individualidade.

O trabalho desenvolvido pela fonoaudiologia com pessoas trans está relacionado com a adaptação de padrões vocais e comunicativos que estejam em congruência com a sua identidade pessoal.[3] Trata-se de um trabalho que envolve desde a aquisição de novos ajustes musculares do trato vocal, até o desenvolvimento do *feedback* auditivo[4] na busca dos modelos almejados e na manutenção de novos comportamentos vocais.

A fonoaudiologia prioriza o desenvolvimento de padrões vocais legítimos,[3] sempre respeitando as individualidades de cada sujeito, e acolhendo suas demandas com relação à sua autoimagem vocal. Logo, é fundamental conhecer a demanda de cada paciente[5] e esclarecer quais são os aspectos deste contexto que podem ser trabalhados em fonoterapia.

Da mesma forma, é importante deixar claro quais modificações vocais são passíveis de ser alcançadas pelo tratamento fonoaudiológico, tendo em vista as particularidades e os limites anatomofisiológicos de cada um, inclusive, atuando de forma eficiente e segura[6] para se evitar comportamentos vocais que possam originar alguma disfonia.

Ressalta-se a importância do trabalho interprofissional da fonoaudiologia com a otorrinolaringologia, desde o processo de avaliação até as possibilidades de tratamento, de forma a propiciar o cuidado mais abrangente com o bem-estar vocal do paciente.

AVALIAÇÃO

A avaliação fonoaudiológica vocal abrange um rol de procedimentos nos quais têm por objetivo compreender as queixas vocais referidas pelo paciente e descrever seu comportamento vocal, de forma a possibilitar a realização de raciocínio clínico diagnóstico e terapêutico.[1]

A avaliação fonoaudiológica na população transgênero compreende os mesmos procedimentos adotados à população cisgênero,[7] os quais consistem na anamnese vocal, autoavaliação, avaliação do comportamento vocal e avaliação acústica da voz.[1]

Anamenese Vocal

Na anamnese vocal buscam-se compreender os motivos pelos quais se deu a procura pelo atendimento fonoaudiológico. É a etapa em que as queixas e os sintomas vocais referidos pelo sujeito são explorados e analisados, para que sua origem e seu desenvolvimento sejam entendidos.[8]

O paciente transgênero deve ser questionado de forma mais detalhada a respeito do seu processo de transição, mais precisamente sobre os procedimentos realizados que possam influenciar na sua produção vocal. Neste contexto, podem ser citados como exemplo as cirurgias laríngeas para modificação do *pitch* vocal, a hormonoterapia, no caso de homens trans, como também os tratamentos fonoterápicos realizados anteriormente.

É fundamental compreender quais são os desconfortos gerados pelos seus padrões vocal e comunicativo atuais, e quais são suas necessidades e preferências com relação a tais aspectos.[3] Uma forma de se compreender essa demanda é conhecer seu contexto habitual de uso de voz:[9] ambientes e situações do seu dia a dia, cuja interação social seja por meio da fala.

Caso ele seja profissional da voz, é preciso que se entenda como se dá o uso da voz em ambiente de trabalho (necessidade de projeção, utilização de microfone, fala em ambiente ruidoso etc.) e sua demanda vocal semanal. Além disso, devem ser investigados hábitos vocais e aspectos da saúde geral que possam estabelecer alguma relação com a fonação.

Autoavaliação Vocal

A autoavaliação vocal consiste na avaliação que o sujeito faz sobre seu problema vocal, levando em consideração suas percepções quanto aos sintomas gerados pelo uso da voz, os aspectos funcionais da sua produção vocal e as questões emocionais relacionadas com ela.[10]

A literatura disponibiliza diversos protocolos de autoavaliação vocal desenvolvidos e/ou validados para o português brasileiro,[11] os quais devem ser selecionados de acordo com o objetivo da investigação do fonoaudiólogo.

Um instrumento bastante robusto para investigar a percepção do paciente quanto aos seus sintomas vocais é a ESV (Escala de Sintomas Vocais).[12] Ela é composta por 30 questões e apresenta grande sensibilidade para a identificação de queixas vocais, sendo bastante viável para uso clínico.[13]

Outro protocolo bastante utilizado na clínica vocal é o QVV (Protocolo de Qualidade de Vida em Voz),[14] o qual analisa o impacto do problema vocal no dia a dia do indivíduo. Sua utilização contribui para o maior entendimento acerca da alteração de voz e permite gerenciar a evolução do tratamento.[15]

Um protocolo específico para a população trans é o TVQ^{MtF} (*Transgender Voice Questionnaire for male to female Transsexuals*), traduzido para o português como Questionário de Autoavaliação Vocal para Transexuais de Homem para Mulher. Trata-se de um instrumento que investiga a percepção de mulheres trans com relação à sua voz.[16]

Avaliação do Comportamento Vocal

A avaliação do comportamento vocal é compreendida pela análise da produção vocal do indivíduo. É nessa avaliação que o fonoaudiólogo descreve perceptivo-auditivamente as características de fonte glótica e de ressonância da qualidade vocal analisada, considerando os parâmetros desviados e a intensidade desse desvio.[1]

Nessa etapa avaliativa podem ser analisados também os demais aspectos relacionados com a fonação, tais como: coordenação pneumofonoarticulatória, ataque vocal, postura corporal e dos órgãos fonoarticulatórios e psicodinâmica vocal.[1]

É comum observar um padrão fonatório hiperfuncional nas mulheres trans, gerado pela tentativa da produção e manutenção do *pitch* mais agudo.[17] Além disso, podem ser observadas também produção vocal em registro falsete, ressonância hipernasal[7] e ressonância com foco faríngeo.

Em menor frequência, pode ser observada em homens trans a produção vocal com a laringe tensa, em posição mais elevada no pescoço, o que acaba produzindo *pitch* mais agudo do que o desejado, mesmo em processo de hormonoterapia.

Avaliação Acústica da Voz

A avaliação acústica consiste na análise da produção vocal e fala por meio de técnicas computacionais – *softwares* e aplicativos. Ela possibilita a caracterização das propriedades vocais e fonoarticulatórias via representação gráfica e mensuração do sinal sonoro,[18] o que contribui para a maior identificação do comportamento vocal do indivíduo.

Tradicionalmente, a análise acústica pode ser realizada via extração de parâmetros vocais e pela descrição do traçado espectrográfico da emissão vocal. Os principais parâmetros utilizados na clínica vocal compreendem: frequência fundamental (F_0), com suas medidas de perturbação (*Jitter, Shimmer*), e medidas que verificam o componente de ruído à emissão, como o GNE (*Glottal-to-Noise-Excitation*) e o PHR (Proporção Harmônico-Ruído).[18]

Outro parâmetro acústico que pode contribuir na avaliação do comportamento vocal, e que os estudos apontam relação com a diferenciação entre gêneros,[19-22] é a frequência de formantes. Formantes estão relacionados com a dimensão do trato vocal,[23] e são modificados de acordo com o posicionamento e/ou configuração das seguintes estruturas: lábios, mandíbula, língua, palato mole, faringe e laringe.[24]

No que se refere à descrição do traçado espectrográfico da emissão vocal, tal avaliação é realizada via espectrografia acústica. Por meio dela é possível observar as características de fonte glótica e do sistema de ressonância da emissão vocal. Além disso, esse instrumento acústico permite a análise da fala do sujeito, no que se refere aos aspectos temporais da emissão, às características de coarticulação[1] e também às modificações melódicas típicas da fala (variações de *pitch*).

TRATAMENTO

O planejamento da intervenção fonoaudiológica deve considerar, acima de tudo, as preferências do paciente. Isso porque a voz e a comunicação, com todos os seus atributos, são expressões pessoais, resultado da individualidade de cada um.[3] Assim sendo, o fonoaudiólogo deve possibilitar um espaço de escuta e acolhimento, mas também de orientações quanto às possibilidades do tratamento e alternativas eficientes e saudáveis.

Habitualmente, a procura pelo tratamento fonoaudiológico tem sido em busca do processo de feminização ou masculinização da voz. Em ambos os processos, o trabalho desenvolvido pela fonoaudiologia pode contemplar a adaptação dos seguintes atributos vocais e comunicativos: frequência fundamental (F_0), entonação, ressonância, intensidade vocal, qualidade vocal, articulação, ritmo de fala, linguagem e comunicação não verbal.[3,6]

No primeiro momento, quando houver necessidade, pode ser desenvolvido um trabalho de reorganização da fonação, para os casos em que se identifique a produção vocal hiperfuncional, por exemplo. Para aqueles com diagnóstico otorrinolaringológico de alteração vocal, com prescrição de reabilitação, inicia-se o processo de terapia fonoaudiológica para o restabelecimento da função fonatória.

O ajuste da F_0 é realizado com cautela, uma vez que os limites fisiológicos da laringe devem ser considerados.[15] Para isso, o processo pode ser iniciado utilizando-se exercícios de trato vocal semiocluídos com pequenas modificações da frequência habitual, até que se consiga, de forma segura, a produção vocal de sons mais agudos ou graves, de acordo com o planejado.

A variabilidade da F_0 durante a fala (frequência de fala) também pode ser adaptada, uma vez que tal parâmetro acústico passa por variações durante a produção de fala, em função do contexto do discurso. Trabalha-se com a adaptação dos limites dessa variabilidade (F_0 mínima e F_0 máxima), no sentido de torná-los mais graves ou agudos, como também na adaptação da entonação, buscando-se entonações mais ascendentes ou descendentes.

O trabalho com entonação pode ser facilitado ao se utilizarem recursos audiovisuais com o paciente, como *softwares* e aplicativos que possibilitem a visualização da variabilidade da F_0 (Fig. 6-1).

A literatura[17] tem demonstrado que apenas a modificação da F_0 não é suficiente para o ganho significativo de feminilidade ou masculinidade no padrão vocal. Um importante trabalho a ser associado à modificação da frequência da voz é o de ressonância vocal, uma vez que parece existir relação entre formantes e percepção de gênero.[19]

Homens cisgênero possuem valores de formantes menores quando comparados com mulheres cis, e isso pode ser explicado, em parte, pela diferença da dimensão entre seus tratos vocais. O trato vocal masculino, compreendido pelo comprimento das cavidades oral e faríngea, é proporcionalmente maior que o feminino. Isto significa que tratos vocais de maior dimensão promovem valores menores de frequências de formantes.[24]

Nesse sentido, pode ser realizado um trabalho de modificação da postura dos articuladores, buscando-se o aumento ou a diminuição da dimensão do trato vocal. Além disso, pode ser utilizada a técnica da voz ressonante para o ajuste da ressonância mais oral, nos casos de feminização; e quando a intenção é de se buscar uma emissão vocal mais masculina, pode-se trabalhar a ressonância vocal com foco mais baixo.[6]

Outros parâmetros vocais que também podem ser trabalhados são a intensidade da voz e a soprosidade da emissão. A literatura[6] refere que utilizar menor intensidade de voz e suavizar a emissão, tornando-a mais soprosa, podem contribuir para a percepção de voz mais feminina.

Os demais parâmetros relacionados com a produção da fala, como articulação, ritmo de fala e expressividade podem ser trabalhados por meio do método de fala.[25] Além disso, pode-se utilizar, como estratégia no trabalho com mulheres trans, o aumento discreto da duração de algumas vogais durante a fala.[26]

Quanto à comunicação não verbal, quando existir demanda de feminização e masculinização, o trabalho pode ser realizado por meio de identificação e reflexão a respeito dos gestos e comportamentos corporais típicos de cada gênero. Exemplos de estratégias não verbais seriam: sorrir mais, manutenção do contato visual e aumento do gestual durante a fala.[7]

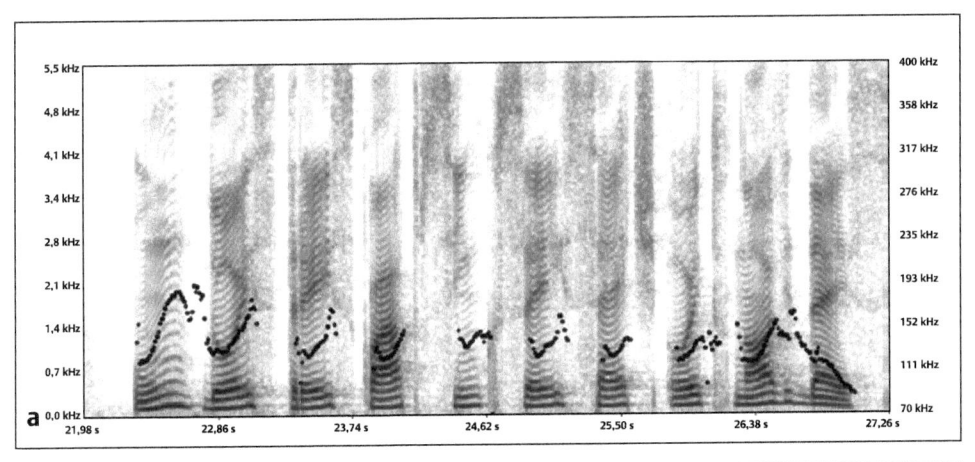

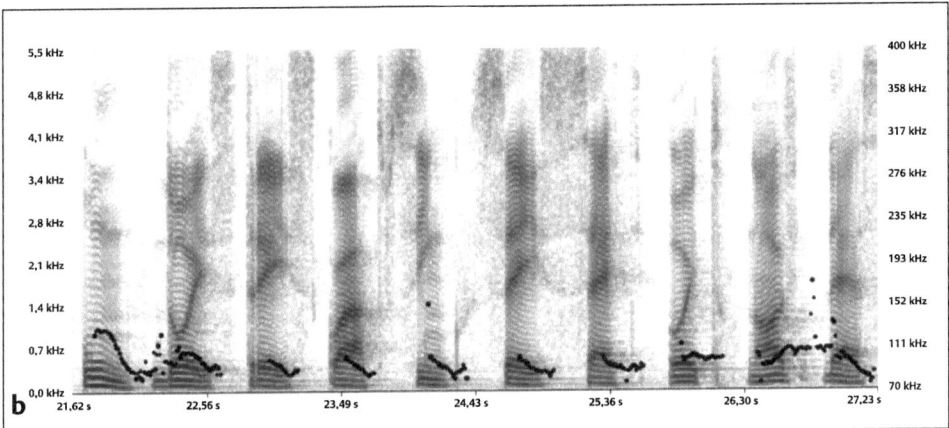

Fig. 6-1. (a) Fala encadeada pré-intervenção vocal em homem trans. Aspectos observados: presença de entonações ascendentes. *Software* FonoView. (b) Fala encadeada pós-intervenção vocal em homem trans. Aspectos observados: F_0 mais grave e presença de entonações descendentes. *Software* FonoView.

Reabilitação Vocal Pós-Cirurgia de Modificação de *Pitch*

A reabilitação vocal pós-cirúrgica tem como principal objetivo a readequação da produção vocal do paciente aos novos padrões anatômicos[17] e fisiológicos da laringe, e, dessa forma, promover uma fonação eficiente e saudável.

A literatura[17,27-29] refere que a terapia vocal pós-operatória pode promover, além da estabilização da qualidade vocal, novos aumentos da frequência fundamental e maior feminilidade da voz, nos casos de cirurgia para aumento do *pitch* em mulheres trans.

A partir da liberação do cirurgião quanto ao início do processo de reabilitação, o paciente passa por avaliação fonoaudiológica para se compreender os novos sinais e sintomas vocais presentes nesse período. Observa-se, geralmente, a qualidade vocal soprosa, rouca e instável,[17] sendo *loudness* fraca e fadiga vocal[27] os principais sintomas relatados pelos pacientes no pós-operatório.

A qualidade vocal no pós-operatório dependerá, entre outros aspectos, da simetria e da regularidade de vibração entre as pregas vocais estabelecidas pelo procedimento cirúrgico.

Além disso, questões próprias ao paciente, como presença de disfonia prévia à cirurgia, por exemplo, pode ser um fator a impactar nas características vocais.[17]

Outro aspecto a ser observado é a incompatibilidade entre a nova frequência fundamental e o padrão ressonantal da frequência dos formantes. Com a cirurgia, a frequência fundamental passa por modificação abrupta, entretanto, as características ressonantais oriundas da dimensão do trato vocal supraglótico mantêm seus atributos habituais, não correspondendo ao novo padrão fonatório (fonte glótica).[17]

A terapia de voz pós-cirúrgica pode ser realizada por meio de técnicas vocais que atuem diretamente na fonte glótica e favoreçam a produção vocal mais equilibrada, como é o caso dos exercícios do método dos sons facilitadores.[30] Para a adequação ressonantal, pode ser empregada a técnica da voz ressonante,[6] além do ajuste dos articuladores, como modificação da posição dos lábios e língua.[31]

REFERÊNCIAS BIBLIOGRÁFICAS

1. Behlau M. Organizador. Voz: o livro do especialista. Rio de Janeiro: Revinter; 2008. p. 1.
2. Behlau M, Pontes P. Higiene Vocal: cuidando da voz. 4. ed. Rio de Janeiro. Revinter; 2009.
3. Coleman E, Bockting W, Botzer M, et al. Standards of Care for the Health of Transsexual, Transgender, and Gender Non conforming People. World Professional Association for Transgender Health (WPATH); 2012.
4. Kim HT. A new conceptual approach for voice feminization: 12 years of experience. Laryngoscope. 2017;127(5):1102-1108.
5. Lopes J, Dorfman MEKY, Dornelas R. A voz da pessoa transgênero – Desafios e possibilidades na Clínica Vocal. In: Lopes L, et al. Fundamentos e Atualidades em Voz Clínica. Rio de Janeiro: Thieme Revinter Publicações; 2019.
6. Deutsch M. Guidelines for the primary and gender-affirming care of transgender and gender nonbinary people. 2nd ed. San Francisco: University of California; 2016.
7. Lopes J, Dorfman MEKY, Dornelas R. A voz da pessoa transgênero – Desafios e possibilidades na Clínica Vocal. In: Lopes L et al. Fundamentos e Atualidades em Voz Clínica. Rio de Janeiro: Thieme Revinter Publicações. 2019.
8. Ferreira LP, Constantini AC, Nemr K. Determinantes dos Distúrbios de Voz e a Anamnese na Clínica Vocal. In: Lopes L, et al. Fundamentos e Atualidades em Voz Clínica. Rio de Janeiro: Thieme Revinter Publicações; 2019.
9. Schwarz K, Fontanari AMV, Mueller A, et al. Transsexual Voice Questionnaire for Male-to-female Brazilian Transsexual People. J Voice. 2017;31(1):120.e15-120.20.
10. Moreti F, Pernambuco L, Silva POC. Protocolos de autoavaliação vocal na clínica vocal: Desenvolvimento, Validação e Atualidades. In: Lopes L, et al. Fundamentos e Atualidades em Voz Clínica. Rio de Janeiro: Thieme Revinter Publicações; 2019.
11. Almeida LN, et al. Processo de validação de instrumentos de autoavaliação da voz no Brasil. Audiology – Communication Research [online]. 2021;26.
12. Moreti F, et al. Crosscultural adaptation, validation, and cutoff values of the Brazilian version of the Voice Symptom Scale VoiSS. J Voice. 2014;28(4):458-68.
13. Behlau M, Oliveira G, Santos LM, Ricarte A. Validação no Brasil de protocolos de autoavaliação do impacto de uma disfonia. Pro Fono R. Atual. Cientif. 2009;21(4):326-32.
14. Gasparini G, Behlau M. Quality of life: validation of the Brazilian version of the voice-related quality of life (V-RQOL) measure. J Voice. 2009;23(1):76-81.
15. Colton RH, Casper JK, Leonard RJ. Understanding voice problem: A physiological perspective for diagnosis and treatment: Fourth edition. Wolters Kluwer Health Adis (ESP). 2011:494.
16. Santos HH, Aguiar AG, Baeck HE, Van Borsel J. Translation and preliminary evaluation of the Brazilian Portuguese version of the Transgender Voice Questionnaire for male-to-female transsexuals. CoDAS. 2015;27(1):89-96.
17. Kim HT. Vocal Feminization for Transgender Women: Current Strategies and Patient Perspectives. Int J Gen Med. 2020;13:43-52.

18. Lopes L, Dajer ME, Camargo Z. Análise Acústica na Clínica Vocal. In: Lopes L et al. Fundamentos e Atualidades em Voz Clínica. Rio de Janeiro: Thieme Revinter Publicações; 2019.
19. Coleman RO. A comparison of the contributions of two voice quality characteristics to the perception of maleness and femaleness in the voice. J Speech Hear Res. 1976;19:168-180.
20. Hillenbrand JM, Clark MJ. The role of fundamental frequency and formant frequencies in distinguishing the voices of men and women. Atten Percept Psychophys. 2009;71(5):1150-1166.
21. Gelfer MP, Mikos VA. The relative contributions of speaking fundamental frequencies to gender identification based on isolated vowels. J Voice. 2005;19:544-554.
22. Gallena SJK, et al. Gender Perception After Raising Vowel Fundamental and Formant Frequencies: Considerations for Oral Resonance Research. Journal of Voice. 2018;32(5):592-601.
23. Titze IR. Physiologic and acoustic differences between male and female voices. J Acoust Soc Am. 1989;85:1699-1707.
24. Sundberg J. Ciência da Voz: Fatos sobre a voz na fala e no canto. Tradução e revisão Gláucia Laís Salomão. São Paulo: Editora da Universidade de São Paulo; 2015:328.
25. Dornelas R, Silva K, Pellicani AD. Atendimento vocal à pessoa trans: uma apresentação do Protocolo de Atendimento Vocal do Ambulatório Trans e do Programa de Redesignação Vocal Trans (PRV-Trans). CoDAS [online]. 2021;33(1).
26. Oates J, Dacakis G. Voice change in transsexuals. Venereology. 1997;10(3).
27. Nolan IT, Morrison SD, Arowojolu O, et al. The role of voice therapy and phonosurgery in transgender vocal feminization. J Craniofac Surg. 2019;30(5):1368-1375.
28. Neumann K, Welzel C. The importance of the voice in male-to-female transsexualism. J Voice. 2004;18:153-167.
29. Kanagalingam J, Georgalas C, Wood GR, et al. Cricothyroid approximation and subluxation in 21 male-to-female transsexuals. Laryngoscope. 2005;115:611-618.
30. Behlau M, Gama AC, Cielo CA. Técnicas Vocais. In: Tratado das Especialidades em Fonoaudiologia. Sociedade Brasileira de Fonoaudiologia. São Paulo: Guanabara; 2014.
31. Hancock AB, Garabedian LM. Transgender voice and communication treatment: a retrospective chart review of 25 cases. Int J Lang Commun Disord. 2013;48(1):54-65.

CIRURGIAS PARA REDUÇÃO DE *PITCH* VOCAL

CAPÍTULO 7

Guilherme Simas do Amaral Catani ▪ Larissa Molinari Madlum
Maria Eduarda Carvalho Catani

INTRODUÇÃO

O transtorno de identidade de gênero é um estado em que a autoconsciência de sexo e sexo biológico são diferentes. Tratamentos de transição de gênero feminino para masculino incluem terapia hormonal, cirurgia plástica, cirurgia de redesignação sexual, terapia de voz e fonocirurgia. Na maioria dos casos, a terapia hormonal resulta em ótimo resultado com a voz tornando-se grave.[1] Nos casos de sucesso, nenhuma fonocirurgia é necessária.

Em estudo de Cler *et al.*, três quartos dos indivíduos após terapia hormonal acreditavam que tinham uma voz que sempre seria considerada masculina. Quase todos os pacientes acreditavam que a alteração bem-sucedida na voz era de importância equivalente para eles à cirurgia de redesignação sexual (modificação cirúrgica dos órgãos sexuais).[2,3] No entanto, a terapia hormonal é ineficaz em alguns casos. Estando indicada a tireoplastia tipo 3 (TP3) nesta situação. A TP3 é uma técnica cirúrgica usada para reduzir o diâmetro anteroposterior da cartilagem tireóidea. Isso faz com que as pregas vocais encurtem e relaxem. Com a diminuição na tensão da prega vocal, ocorre redução da frequência fundamental com a voz tornando-se mais grave.[4,5]

Este procedimento também é indicado para pregas vocais enrijecidas, como no caso de sulco vocal, e nos casos de voz inadequadamente agudas por distúrbios vocais mutacionais.[6]

A primeira descrição de cirurgia envolvendo o arcabouço laríngeo data de 1915 por Payr, mas este tipo de procedimento se popularizou através das técnicas de Isshiki a partir de 1970. Esta é uma das áreas mais dinâmicas da fonocirurgia e tem como principal objetivo a melhora da voz sem intervir diretamente nas pregas vocais. A Sociedade Europeia de Laringologia propôs, em 2000, uma classificação e a nomenclatura dessas cirurgias de acordo com o seu propósito.[7-10]

O princípio básico é diminuir a distância entre as inserções das pregas vocais, reduzindo assim a tensão das pregas vocais.[11] Isshiki propôs diminuir o tom da voz por relaxamento anteroposterior ou tireoplastia III, resultando em pregas vocais encurtadas, com tensão reduzida. A primeira versão dessa tireoplastia de relaxamento, também chamada de tireoplastia de retrusão, consiste na excisão uni ou bilateral de tiras verticais de 2 a 3 mm de cartilagem tireóidea. Uma segunda versão alcançou um resultado semelhante ao incisar a lâmina tireoidiana bilateralmente e deprimir o segmento anterior da cartilagem tireóidea. Esta versão modificada é chamada de tireoplastia de relaxamento por abordagem medial no sistema de classificação da European Laryngological Society.[4,8,12-14]

TIREOPLASTIA DE RETRUSÃO

Após o posicionamento do paciente, é palpada a cartilagem tireóidea para que possa ser desenhado o local da incisão. São também marcadas a linha média no queixo, no pescoço e na fúrcula esternal. A incisão deve ser horizontal com cerca de 3-4 cm. Os músculos infra-hióideos (*strap muscles*) são identificados em cada lado da cartilagem tireóidea, dissecados e retraídos de forma suave e lateralmente. O controle hemostático deve ser rigoroso. Uma incisão é feita através do pericôndrio e a dissecção romba é realizada anterior e posteriormente para levantar os retalhos pericondriais. Após a realização de dissecção por planos, a cartilagem tireóidea deve ser amplamente exposta.

É removida uma fita de cartilagem vertical (cerca 3-4 mm) na junção do terço anterior com o terço médio da lâmina lateral da cartilagem tireóidea (cerca de 7 mm distante da linha média). Este procedimento pode ser realizado uni ou bilateralmente. Após a remoção da fita de cartilagem são realizadas duas suturas (terminoterminais) das porções restantes da cartilagem tireóidea para melhor fixação (Fig. 7-1).

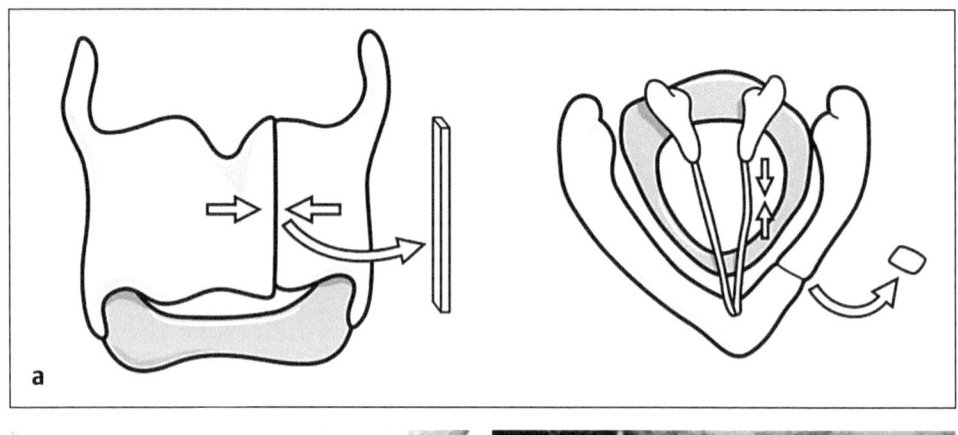

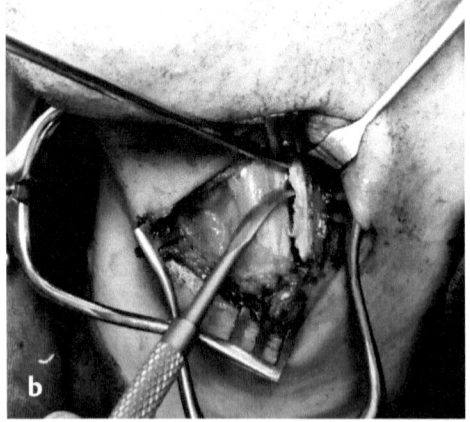

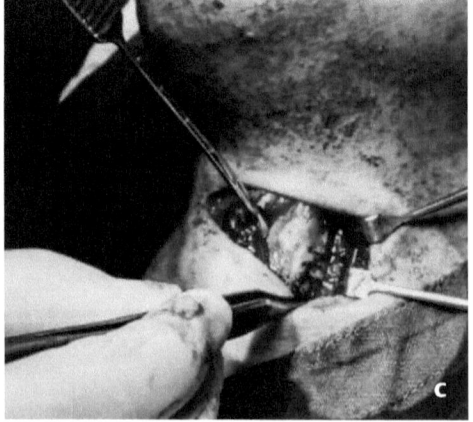

Fig. 7-1. (a) Visão esquemática da tireoplastia de retrusão. (b) Remoção de fita da asa esquerda da cartilagem tireóidea. (c) Suturas terminoterminais das porções restantes da cartilagem tireóidea.

TIREOPLASTIA DE RELAXAMENTO POR ABORDAGEM MEDIAL

Na segunda versão, duas incisões verticais são feitas, deslocando-se posteriormente todo o segmento anterior da cartilagem tireóidea. As suturas são feitas entre as partes fixas da cartilagem tireóidea (Fig. 7-2a-d).[10,15,16]

Em variação proposta pelo autor sênior deste capítulo, descrita como "técnica dos quatro fios," as suturas de aproximação entre as partes fixas da cartilagem são feitas com quatro fios de *nylon* 3-0. Os fios são passados isoladamente em quatro pontos, nas duas

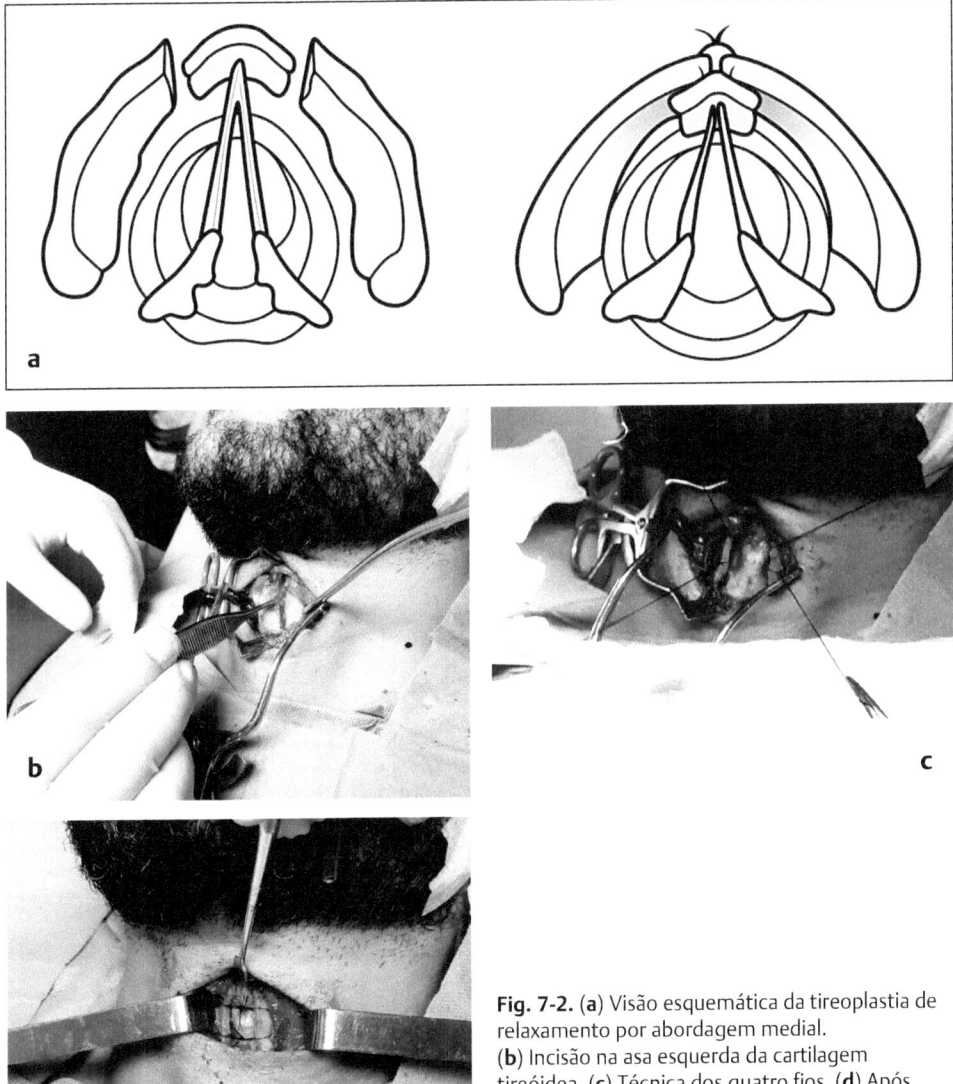

Fig. 7-2. (a) Visão esquemática da tireoplastia de relaxamento por abordagem medial.
(b) Incisão na asa esquerda da cartilagem tireóidea. (c) Técnica dos quatro fios. (d) Após as incisões bilaterais, suturas são feitas entre as partes fixas da cartilagem tireóidea. Deslocamento posterior do complexo da comissura anterior.

asas da cartilagem (direita e esquerda) superior e inferiormente. Cada sutura é passada duas vezes no mesmo local e o nó apertado, ficando cada ponto com segmento distal duplo após a remoção da agulha. A seguir, o fio duplo superior direito é amarrado com o fio duplo superior esquerdo, e mesmo passo é feito com os fios inferiores. Estes fios são apertados progressivamente, testando a qualidade vocal. Com esta variação obtemos uma sutura mais resistente e diminuímos o risco de laceração dos bordos da cartilagem, o que ocorre com muita frequência em suturas simples (Fig. 7-2c).

TÉCNICA ALTERNATIVA

Nesta variação descrita por Kocak *et al.*, uma janela de cartilagem de formato romboide é confeccionada mantendo a comissura anterior centrada. Pelo menos 3 mm das margens inferior e superior da cartilagem tireóidea devem ser mantidos para preservar a estabilidade. Os limites laterais localizam-se a 10 mm da comissura anterior. A janela da cartilagem é incisada com uma lâmina de bisturi nº 15 ou broca diamantada, tomando cuidado para conservar o pericôndrio interno. O deslocamento posterior desta janela de cartilagem reduz a tensão das pregas vocais (Fig. 7-3).[6,17]

CUIDADOS PÓS-OPERATÓRIOS

É recomendado o repouso vocal por 7 dias, uso de analgésico e antibiótico. Deve-se evitar movimentação excessiva do pescoço por 10 dias. Terapia vocal é iniciada após 1 semana da cirurgia.[18,19]

Obtenha mais informações e atualizações acessando os QR Codes, mostrados na Figura 7-4.

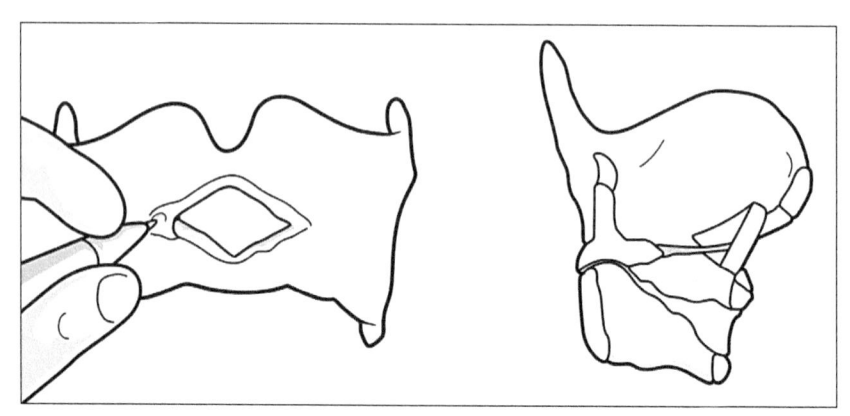

Fig. 7-3. Visão esquemática da técnica alternativa descrita por Kocak *et al.*

Fig. 7-4. QR Codes.

REFERÊNCIAS BIBLIOGRÁFICAS

1. Remacle M, Matar N, Verduyckt I, Lawson G. Relaxation Thyroplasty for Mutational Falsetto Treatment. Ann Otol Rhinol Laryngol [Internet]. 2010;119(2):105-9.
2. Cler GJ, McKenna VS, Dahl KL, Stepp CE. Longitudinal Case Study of Transgender Voice Changes Under Testosterone Hormone Therapy. J Voice [Internet]. 2020;34(5):748-62.
3. Spiegel JH. Phonosurgery for pitch alteration: Feminization and masculinization of the voice. Otolaryngol Clin North Am. 2006;39(1):77-86.
4. Mahieu HF. Practical applications of laryngeal framework surgery. Otolaryngol Clin North Am [Internet]. 2006;39(1):55-75.
5. Van Borsel J, Baeck H. The voice in transsexuals. Rev Logop Foniatr y Audiol [Internet]. 2014;34(1):40-8.
6. Kocak I, Dogan M, Tadihan E, et al. Window anterior commissure relaxation laryngoplasty in the management of high-pitched voice disorders. Arch Otolaryngol – Head Neck Surg. 2008;134(12):1263-9.
7. Isshiki N. Phonosurgery. Theory and practice. 1st ed. Tokyo, Japan: Springer-Verlag; 1989.
8. Isshiki N. Vocal mechanics as the basis for phonosurgery. Laryngoscope [Internet]. 1998;108(12):1761-6.
9. Friedrich G, Remacle M, Birchall M, et al. Defining phonosurgery: a proposal for classification and nomenclature by the Phonosurgery Committee of the European Laryngological Society (ELS). Eur Arch Otorhinolaryngol [Internet]. 2007;264(10):1191-200.
10. Remacle M, Matar N, Verduyckt I, Lawson G. Relaxation thyroplasty for mutational falsetto treatment. Ann Otol Rhinol Laryngol. 2010;119(2):105-9.
11. Slavit DH, Maragos NE, Lipton RJ. Physiologic assessment of Isshiki type III thyroplasty. Laryngoscope [Internet]. 1990;100(8):844-8.
12. Hess MM, Fleischer S. Laryngeal framework surgery: current strategies. Curr Opin Otolaryngol Head Neck Surg [Internet]. 2016;24(6):505-9.
13. Isshiki N. Progress in laryngeal framework surgery. Acta Otolaryngol [Internet]. 2000;120(2):120-7.
14. Isshiki N. Mechanical and dynamic aspects of voice production as related to voice therapy and phonosurgery. J Voice [Internet]. 1998 Jun [cited 2013;12(2):125-37.
15. Harries ML. Laryngeal framework surgery (thyroplasty). J Laryngol Otol [Internet]. 1997;111(2):103-5.
16. Tucker HM. Anterior commissure laryngoplasty for adjustment of vocal fold tension. Ann Otol Rhinol Laryngol [Internet]. 1985;94(6-1):547-9.
17. Matsushima K, Isshiki N, Tanabe M, et al. Operative Procedure of Anterior Commissure for Type II Thyroplasty. J Voice [Internet]. 2018;32(3):374-80.
18. Catani GSA, et al., Voice Masculinization: Surgeries to Lower the Vocal Pitch in Trans Men. Clin Surg. 2021;5(11):1-3.
19. Catani GSA, Catani MEC, Kinasz LRS, et al. Laryngeal framework surgery. J Otolaryngol ENT Res. 2020;12(5):151-154.

CIRURGIAS PARA ELEVAÇÃO DE *PITCH* VOCAL

CAPÍTULO 8

Guilherme Simas do Amaral Catani ▪ Letícia Raysa Schiavon Kinasz

INTRODUÇÃO

São descritos como transsexuais os indivíduos que sentem que seu gênero psicológico é o oposto do seu gênero anatômico.[1-6] O termo transexualismo foi usado pela primeira vez em meados do século 20, caindo em desuso no decorrer dos anos por não se tratar de uma doença e sim de uma desordem de gênero.[2] Segundo Eicher, a transexualidade é uma transposição complexa e permanente, cujas causas ainda não são conhecidas. Na grande maioria dos casos, sentimentos paradoxais podem ser rastreados até a infância e, em algum momento ou outro, eles causam tanta dor e angústia que o paciente começa a considerar fazer o processo de mudança de sexo que envolve terapias hormonais, comportamentais e cirúrgicas.[1]

A prevalência da desordem de gênero ainda é incerta e varia de acordo com as características geográficas, mas pode ser estimada em 1:100.000 a 1:2.900 em países asiáticos e europeus, e em 1:35.000 a 1:50.000 em estudo brasileiro.[4]

Atualmente, devido à nova legislação, este grupo de pessoas está sendo mais bem aceito socialmente e está recebendo mais suporte médico do que no passado. É importante que antes que um paciente inicie seu processo de mudança de sexo, ele seja avaliado por um médico psiquiatra para excluir quaisquer possíveis transtornos de identidade sexual como psicoses, travestismo, homossexualidade e conflitos adolescentes.[1]

A voz pode ser considerada uma característica sexual secundária e influencia na forma como o indivíduo é visto e reconhecido pelo meio que o cerca.[1,4] A frequência fundamental e o timbre são as características básicas específicas do sexo na voz. Para mulheres trans, a função da voz continua sendo o principal obstáculo para que elas encontrem uma nova identidade sexual, pois, em contraste com os homens trans, a terapia hormonal não altera de forma significativa e duradoura a voz desses indivíduos.[1,4-6]

A frequência fundamental ou *pitch* em mulheres cisgêneros é em torno de 220 Hz e nos homens cisgêneros é 120 Hz.[2,7]

A terapia fonoaudiológica para voz por si só não costuma produzir resultados satisfatórios, não apenas pelo esforço de tentar manter um "falsete", mas também porque a voz original tende a surgir quando a mulher é assustada ou acordada.[1,3,5,7] Em muitos casos, esse resultado instrui vocalização patológica, que dá a impressão de disfonia hiperfuncional e dá origem a queixas subjetivas como rouquidão, sensação de *globus*, ou mesmo pode resultar em uma voz incapaz de suportar um esforço.

Aspectos de comunicação não verbais também são de grande relevância na terapia desses indivíduos, pois a voz acompanhada de outros traços comportamentais como velocidade do discurso, variação no tom da voz, volume da voz (mulheres tendem a falar mais baixo), gesticulação e uso de expressões faciais complementam o processo de feminilização dessas mulheres.[1-4]

O tratamento fonocirúrgico auxilia os pacientes que são reconhecidos como transexuais a estar integrados na sociedade e facilitam a vida diária. Para os pacientes em questão, a adaptação à sua nova voz fortalece sua identidade sexual, a forma como se relacionam com seu corpo, sua autoestima e, consequentemente, melhora seu bem-estar geral.

Pelas razões acima mencionadas, após a fase de transformação cirúrgica das características sexuais primárias, a fonocirurgia deve ser integrada ao programa terapêutico e as características sexuais secundárias devem ser transformadas. Até o momento, autores como Isshiki, Wendler, Gross, Le Jeune, Tucker, Donald, Mahieu e Sataloff descreveram diferentes técnicas operacionais para elevar o tom da voz.[1]

Em princípio, é possível elevar a frequência fundamental reduzindo a massa das pregas vocais oscilantes, encurtando as pregas vocais ou aumentando a tensão das pregas vocais. Por muito tempo, foi aceito que os três princípios fundamentais citados são pré-condições essenciais para o aumento do tom. No entanto, o *pitch* é um resultado acústico funcional não apenas proveniente da tensão, massa e comprimento das pregas vocais, mas também proveniente da pressão subglótica e mudança resultante nas dimensões faríngeas formando ressonância modificadora. A feminização da voz deve considerar esses três princípios fundamentais, bem como a mudança do padrão fonatório para as mulheres.[1]

GLOTOPLASTIA

Wendler e Gross descreveram a glotoplastia ou a criação de uma *web* (sinéquia) anterior. Para este procedimento é necessária anestesia geral e uso da laringoscopia de suspensão. Após o posicionamento do paciente em decúbito dorsal e ser alocado o laringoscópio de suspensão, é utilizado o microscópio ou a ótica rígida para visualização da área cirúrgica. Esta técnica envolve a desepitelização da porção anterior da borda livre das pregas vocais próxima a comissura anterior e a sutura dessa porção com 1 ou 2 pontos de fio inabsorvível (polidioxanona 4-0 ou 5-0, por exemplo). Desta forma reduzindo tanto a porção ondulatória da prega vocal como seu comprimento. Este procedimento tem como vantagem o fato de ser realizado via endolaríngea, sem necessidade de incisões na região cervical, além de alguns estudos afirmarem que aumenta de forma mais efetiva a frequência fundamental comparado com a tireoplastia tipo IV (Fig. 8-1). Como desvantagem apresenta maior incidência de disfonia no pós-operatório e bordo irregular irreversível da prega vocal.[1-3,5,6]

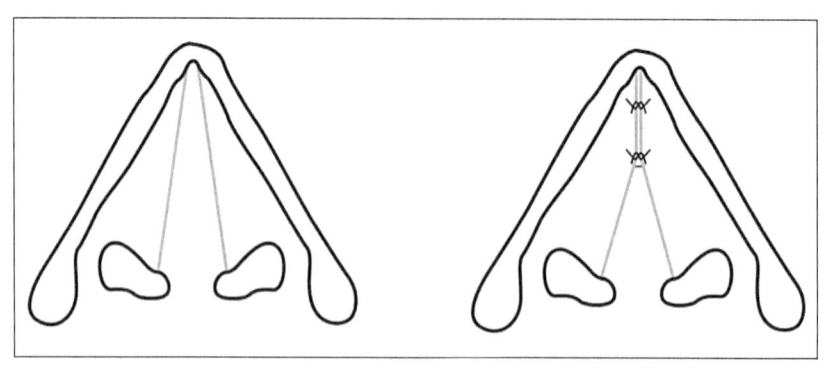

Fig. 8-1.
Glotoplastia.

TIREOPLASTIA TIPO IV

Isshiki descreveu a tireoplastia tipo IV ou aproximação cricotireóidea. Esta cirurgia aumenta a tensão das pregas vocais mimetizando a ação do músculo cricotireóideo. Este procedimento pode ser realizado através de anestesia local e sedação, até para auxiliar no ajuste da voz. O paciente é posicionado em decúbito dorsal, com a cabeça hiperestendida através da colocação de um cochim sob os ombros. Após o posicionamento do paciente, é palpada a cartilagem tireóidea para que possa ser desenhado o local da incisão. São também marcadas as linhas médias no queixo, no pescoço e na fúrcula esternal. A incisão deve ser horizontal, com cerca de 3-4 cm. Após a realização de dissecção por planos, a cartilagem tireóidea deve ser amplamente exposta. É realizada então a aproximação do bordo inferior da cartilagem tireóidea com o bordo superior da cartilagem cricóidea. Originalmente foi descrita através de dois pontos de sutura com fio inabsorvível – polidioxanona ou *mononylon* (Fig. 8-2) –, mas atualmente também é realizada utilizando miniplacas de titânio fixadas às cartilagens (Fig. 8-3).[1,3,8] Como desvantagem, esta abordagem é realizada com incisão cervical anterior, ou seja, o paciente terá uma cicatriz visível em seu pós-operatório.[1,2,5,6]

A cirurgia não é indicada naqueles pacientes que já possuem uma voz com *pitch* mais elevado e naqueles em que praticam o canto. Ela também pode ser mais difícil nos pacientes mais velhos.[2]

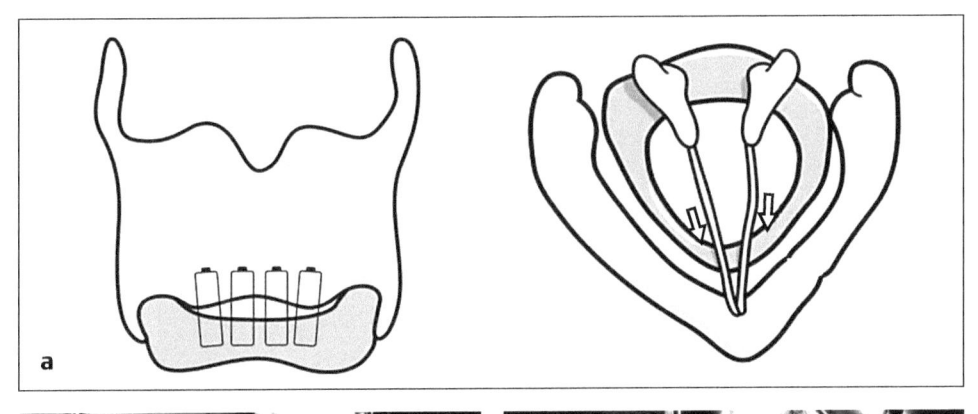

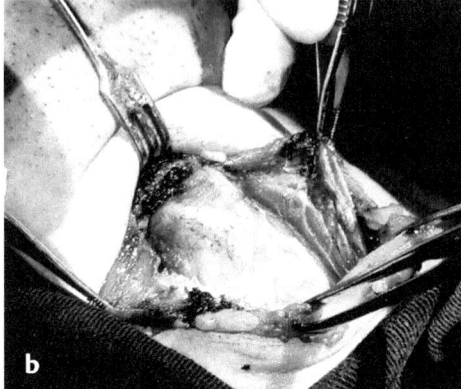

Fig. 8-2. (**a**) Visão esquemática da tireoplastia IV. (**b**) Exposição da cartilagem tireóidea. (**c**) Passagem da primeira sutura cricotireóidea. A parte superior da cartilagem tireóidea foi removida com a condroplastia associada. *(Continua.)*

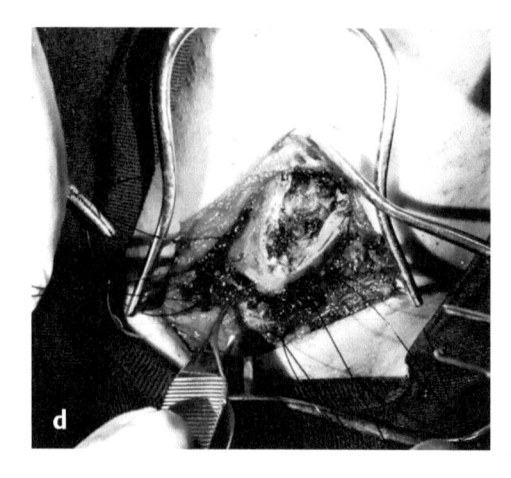

Fig. 8-2. *(Cont.)* (**d**) As quatro suturas cricotireóideas já posicionadas para posterior fechamento.

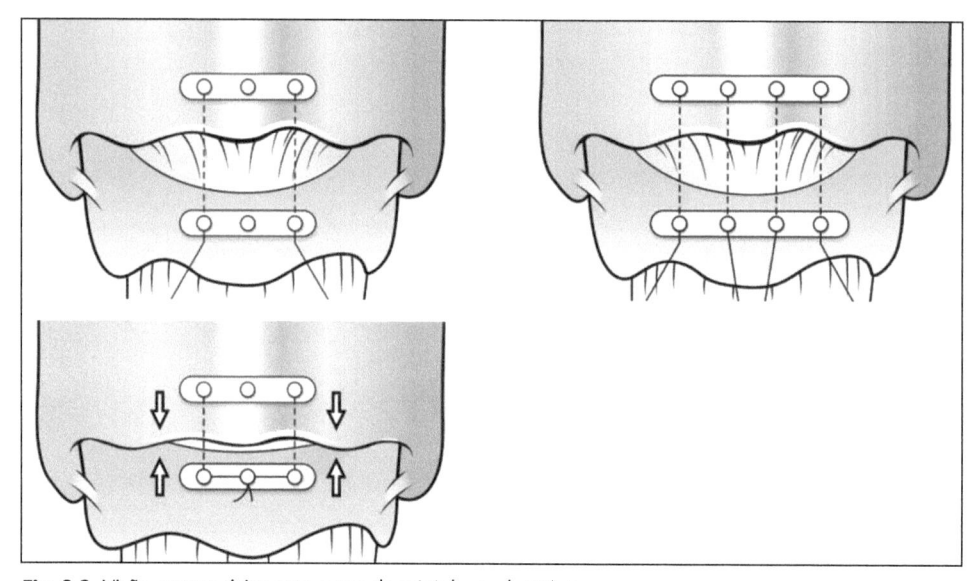

Fig. 8-3. Visão esquemática com o uso de miniplacas de titânio.

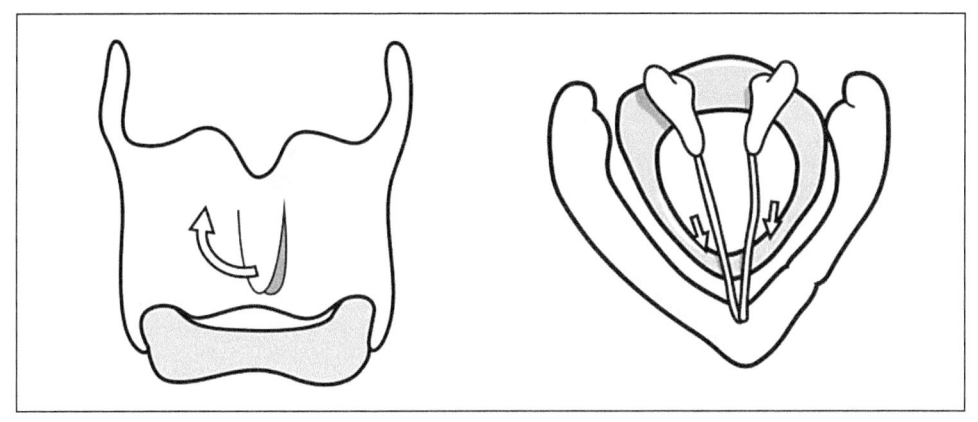

Fig. 8-4. Visão esquemática da tireoplastia de alongamento.

TIREOPLASTIA DE ALONGAMENTO

A tireoplastia de alongamento (Fig. 8-4) é uma opção menos utilizada, mas consiste na exposição da cartilagem tireóidea da mesma forma que ocorre na tireoplastia tipo IV e na realização de uma secção na porção anterior da cartilagem tireóidea na altura da inserção das pregas vocais (iniciando no final do terço superior de seu comprimento e sem ultrapassar o bordo inferior da cartilagem) e no avanço dessa porção alguns milímetros (2-4 mm), objetivando o aumento da tensão das pregas vocais.[2,8]

REDUÇÃO DA MASSA DA PREGA VOCAL

Pode ser realizada através de escarificação com *laser* ou da injeção de corticoide, resultado em atrofia tecidual.[2,3,4] Nas duas opções de técnicas, o paciente é posicionado em decúbito dorsal e é locado o laringoscópio de suspensão para que o procedimento seja realizado. Como é realizado de forma endolaríngea através do uso de microscópio ou da ótica rígida, não resulta em cicatriz visível para o paciente.

Não é incomum a necessidade de mais de um procedimento cirúrgico ou a combinação de procedimentos no arcabouço laríngeo e na estrutura da prega vocal para que o resultado seja uma voz mais aguda.[2]

LARINGOPLASTIA OU CONDROPLASTIA

É o procedimento que visa a redução do pomo de Adão ou proeminência tireóidea através principalmente da sua raspagem com uso de brocas. Este procedimento pode ser realizado no mesmo tempo cirúrgico que a tireoplastia tipo IV, aproveitando a mesma incisão (Fig. 8-5).[1]

Durante o pós-operatório é de extrema importância a terapia e o acompanhamento de forma multidisciplinar, envolvendo as diversas equipes médicas (otorrinolaringologia, endocrinologia, cirurgia plástica, urologia e psiquiatria), assim como a equipe de psicologia e de fonoaudiologia para que a feminilização da voz ocorra da forma mais completa possível. Pois tanto a voz em si como a articulação e a ressonância são fatores de grande relevância em todo esse processo.[8]

Obtenha mais informações e atualizações acessando os QR Codes mostrados na Figura 8-6.

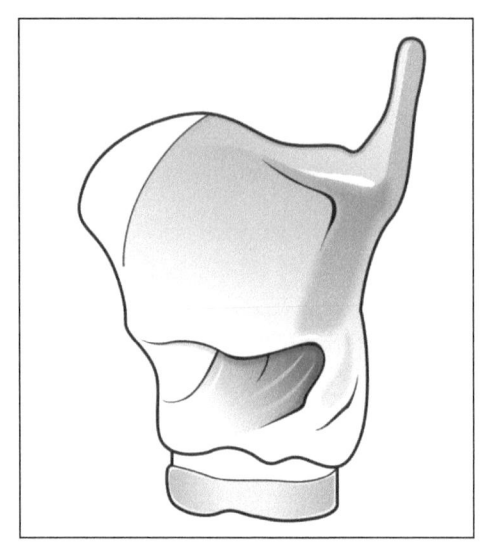

Fig. 8-5. Condroplastia ou laringoplastia.

Fig. 8-6. QR Codes.

REFERÊNCIAS BIBLIOGRÁFICAS
1. Neumann K, Welzel, C. The Importance of the Voice in Male-to-Female Transsexualism. J Voice. 2004;18(1):153-67.
2. Borsel JV, Baeck H. The voice in transsexuals. Revista de Logopedia, Foniatría y Audiología. 2014;34(1):40-8.
3. Kelly V, Hetegard S, Eriksson J, et al. Effects of Gender-confirming Pitch-raising Surgery in Transgender Women a Long-term Follow-up Study of Acoustic and Patient-reported Data. J Voice. 2019;33(6):781-91.
4. Schwarz K, Fontanari AMV, Mueller A, et al. Transsexual Voice Questionnaire for Male-to-female Brazilian Transsexual People. J Voice. 2017;31(1);120.e15-120e20.
5. Anderson JA. Pitch Elevation in Trangendered Patients: Anterior Glottic Web Formation Assisted by Temporary Injection Augmentation. J Voice. 2014;28(6):816-21.
6. Damme SV, Cosyns M, Deman S, et al. The Effectiveness of Pitch-raising Surgery in Male-to-Female Transsexuals: A Systematic Review. J Voice. 2017;31(2):244e.1-244e.5.
7. Houle N, Levi SV. Effect of Phonation on Perception of Femininity/Masculinity in Transgender and Cisgender Speakers. J Voice. 2019;14:S0892-1997(19)30302-9.
8. Catani GSA, Catani MEC, Kinasz LRS, et al. Laryngeal framework surgery. J Otolaryngology-ENT Res. 2020;12(5): 151-54.

Parte III Intervenções Cervicofaciais no Processo Transexualizador

ANATOMIA FACIAL LIGADA AO GÊNERO

Carolina Dranka ▪ Daniela Dranka de Moraes
Maria Theresa Costa Ramos de Oliveira Patrial

INTRODUÇÃO

A face humana possui características das mais diversas, o que nos confere individualidade e identidade própria. Entretanto, alguns traços são preponderantemente encontrados na face masculina ou feminina, o que permite a diferenciação visual entre os gêneros.

O código genético é quem dita esta diferenciação, e os hormônios têm grande participação na modulação destas características. A testosterona tem um efeito mais poderoso na estrutura facial do que o estrogênio, pois leva ao crescimento ósseo, masculinizando a face.[1] Desta forma, o crânio e o esqueleto facial dos homens, em geral, é maior do que o das mulheres.

É comum dividirmos a análise facial em terços, o que facilita as comparações anatômicas. Nas mulheres, observamos um terço superior proporcionalmente maior que o inferior, visualizando um triângulo invertido de base em arcos zigomáticos e ápice em mento. Já nos homens, em decorrência da mandíbula mais proeminente, temos um terço inferior de largura próxima à do terço médio, conferindo aspecto facial quadrado (Fig. 9-1).

Em geral, observamos nos homens uma linha horizontal margeando a parte inferior do mento, com a divisão lateral da fronte, entre a área pilosa e a glabra, com formato quadrado. Nas mulheres observamos que o mento termina em um ponto único, dando um aspecto mais oval, sendo o heptágono um dos formatos mais prevalentes, o que torna a face mais delicada.[2-4]

No processo transexualizador é fundamental atentarmos para cada detalhe da anatomia facial pois é na sutileza destas características específicas que a pessoa será reconhecida e se sentirá pertencente ao gênero optado. Através de cirurgias e procedimentos minimamente invasivos, conseguimos atuar sobre os marcos anatômicos que estigmatizam a pessoa como sendo pertencente ou não a determinado gênero.

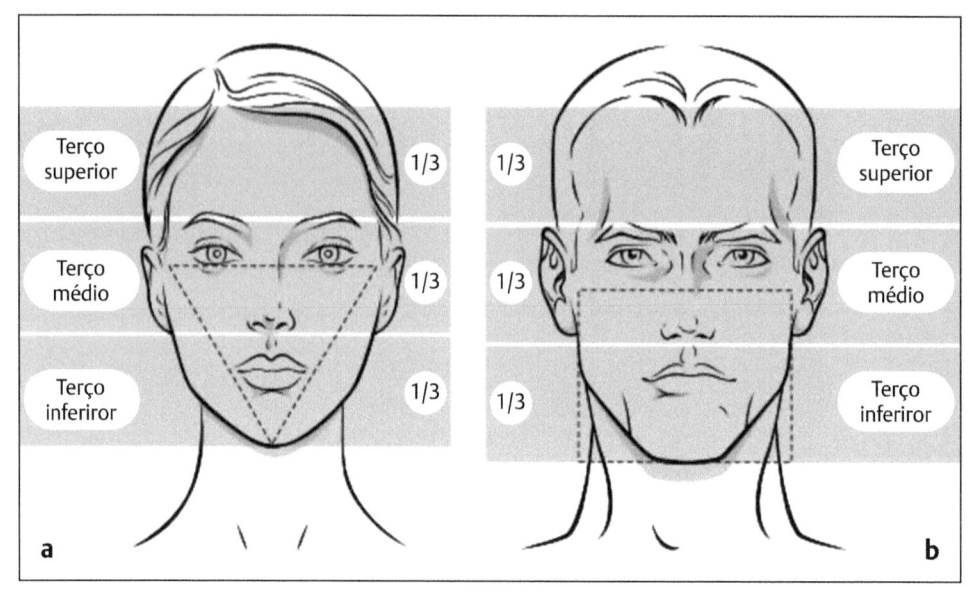

Fig. 9-1. Divisão facial em terços. (**a**) Formato em triângulo invertido na face feminina. (**b**) Formato quadrado na face masculina.

PELE

Como era de se esperar, o maior órgão do corpo humano também possui algumas particularidades relacionadas com o gênero. As glândulas sebáceas têm receptores hormonais, e os hormônios androgênicos são capazes de influenciar a proliferação celular e lipogênese nestas glândulas, resultando em uma maior produção de sebo na pele masculina.[5]

Anexos cutâneos como cabelos e pelos (faciais, pubianos e axilares) também são influenciados por hormônios sexuais. Entretanto, sobrancelhas e cílios não sofrem essas interferências. Em mulheres, patologias que levam ao aumento da concentração de hormônios masculinos frequentemente cursam com hirsutismo.[6]

A espessura da pele masculina é maior. Isto é decorrente da composição da derme, que no sexo masculino tem uma maior concentração de água, substância intercelular e fibras elásticas. Fisiologicamente, a pele em ambos os sexos se torna mais fina com o envelhecimento, iniciando este processo por volta dos 45 anos.[6] O processo de cicatrização de feridas é mais lento nos homens e acredita-se que isto está ligado aos altos níveis de hormônios androgênicos.[5,6] Estudos mostram que tratamentos com estrogênio tópico podem promover uma cicatrização mais rápida e efetiva.[5]

TERÇO SUPERIOR

De forma geral, a fronte masculina é mais plana que a feminina. Devido ao volume dos seios paranasais frontais, há uma maior projeção da margem superior da órbita, resultando em uma maior protrusão do terço inferior da fronte. É possível minimizar esta proeminência óssea através da cirurgia de cranioplastia frontal feminizante, promovendo uma transição mais sutil entre o terço superior e o médio.[1]

A linha de implantação de cabelos difere entre os gêneros. Nas mulheres, a densidade capilar costuma ser maior, porém com transição das linhas mais suaves. Nos homens,

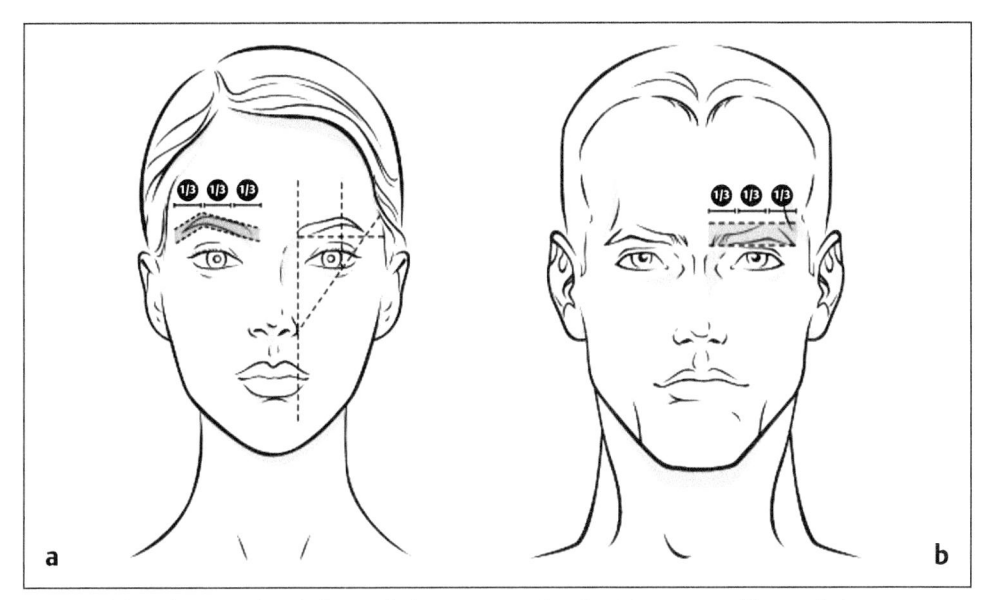

Fig. 9-2. (a) Implantação de cabelo com linhas suaves na face feminina e supercílio angulado. **(b)** Implantação capilar em formato de M e supercílio retificado.

observamos linhas marcadas, com reentrâncias, que lembram o formato da letra M.[2] Este padrão androgenético de reentrâncias, conhecidas popularmente por "entradas", pode ser modificado via transplante capilar, objetivando uma transição mais homogênea. Dependendo do objetivo, é possível recorrer a outros procedimentos cirúrgicos para modificar o tamanho da fronte (Fig. 9-2).[7]

O ângulo nasofrontal é obtuso em mulheres, com glabela menos protuberante e supercílios posicionados acima da borda supraorbital, elevando-se lateralmente. Os homens têm ângulos nasofrontais agudos e supercílios posicionados horizontalmente no nível da borda supraorbital, mais retificados, sem angulações marcadas.[1,8] Este posicionamento do supercílio pode ser facilmente modificado por procedimentos estéticos não invasivos, como aplicação de toxina botulínica, fios de tração, preenchimentos e tecnologias como ultrassom e *lasers* (Fig. 9-2).

TERÇO MÉDIO

A face feminina possui o terço médio mais largo e volumoso proporcionalmente ao terço inferior, pois tem uma importante projeção óssea no arco zigomático, somada a coxins gordurosos mais salientes que se projetam lateral e anteriormente, gerando um desenho mais convexo (Fig. 9-1).[7,8]

O plano vertical da face, avaliado em perfil a partir de uma linha que passa a frente do globo ocular, é um parâmetro importante de comparação entre os gêneros. Na mulher, observamos um volume na região malar, o que torna o vetor positivo, dando aspecto convexo a esta região. No homem, o vetor é retificado, o que resulta em um perfil com pouca projeção, mais plano.[3]

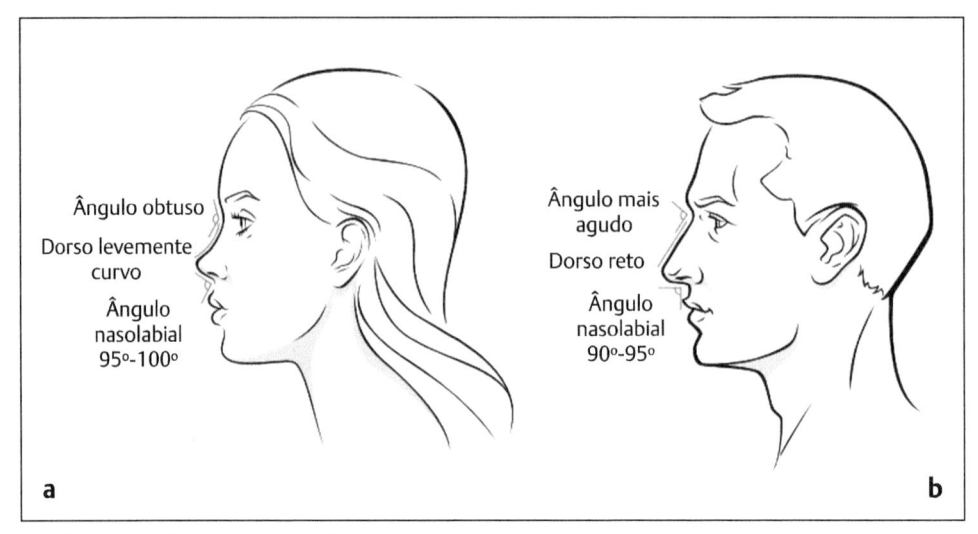

Fig. 9-3. (a) Perfil nasal feminino. (b) Perfil nasal masculino.

A curva de *Ogee* é um marco da feminilidade na face, e é caracterizada por uma linha em **S** que percorre desde a cauda do supercílio até a região próxima ao lábio. Ela demarca a área de maior convexidade da face, que ocorre na região malar lateral.[4]

Em relação aos olhos, a prega palpebral superior é mais alta nas mulheres e mais baixa nos homens, o que faz com que elas tenham uma maior exposição da parte móvel da pálpebra superior. O epicanto lateral tem uma posição ligeiramente mais alta que o medial na face feminina, enquanto está em posição neutra na face masculina.[2]

O nariz também tem suas peculiaridades em cada gênero. Homens possuem ângulo nasofrontal mais agudo e marcado. As mulheres têm um ângulo obtuso entre o *radix* nasal e a fronte, o que confere maior suavidade no perfil.[1,2] O dorso feminino pode ser reto ou ligeiramente curvo, enquanto o masculino é retilíneo. O *supratip break* é mais marcado na mulher, estando à altura da ponta levemente acima da altura do dorso.[2,9] Apesar das variações étnicas, em geral observamos uma largura de base nasal maior nos homens do que nas mulheres (Fig. 9-3).[10]

O ângulo nasolabial, formado por uma linha traçada a partir da ponta nasal, margeando a região subnasal e o plano vertical da face, é um importante parâmetro a ser levado em consideração no que se refere a características marcantes de gênero, pois reflete o grau de rotação do nariz, o que inclusive é um parâmetro que norteia a cirurgia de rinoplastia e preenchimentos nasais. Em mulheres, este ângulo é de 95 a 100 graus, resultando em uma ponta mais rodada, enquanto em homens é de 90 a 95 graus.[8]

TERÇO INFERIOR

Observamos uma maior proporcionalidade entre o terço inferior e o superior nos homens, por causa da maior altura do mento.[2,3] As projeções anteroinferiores são mais distantes da linha média, o que confere um formato mais quadrado nos homens.[7] A largura do mento masculino encontra-se dentro de linhas imaginárias que passam nas regiões laterais da rima labial.[8]

Já nas mulheres, o terço inferior é menor que o superior, dando ao rosto feminino um formato de triângulo de base invertida, inferiormente com projeções mais próximas à linha mediana resultando no mento como ápice inferior. O mento geralmente respeita a largura das asas nasais, sem ultrapassá-las.[8]

Na maior parte das pessoas, de ambos os sexos, o ângulo mandibular é menor do que 125 graus. Nas mulheres, este ângulo tende a ser mais obtuso, cerca de 2,7 graus a mais do que nos homens, criando uma transição mais suave entre o corpo e o ramo da mandíbula.[2]

Na visão de perfil, o mento feminino é posicionado ligeiramente posterior ao vermelhão do lábio inferior. Quando o mento está alinhado ou está mais à frente do lábio inferior, consideramos uma característica masculina.[2]

O músculo masseter é mais volumoso nos homens, o que também contribui para o aumento da distância bigonial, reforçando a característica de terço inferior mais alargado.[11] No processo de masculinização facial, alternativas para atingir esta característica de terço inferior mais largo são implantes intraorais de silicone, hidroxiapatita de cálcio, injeção de gordura autóloga,[12] além de ácido hialurônico.

Os lábios femininos são mais volumosos, com tubérculos evidentes, e possuem coloração mais rosada. Observamos ainda um arco do cupido mais bem demarcado. Nos homens, observamos lábios mais finos, com menor projeção e mais distantes da base do nariz. Nas mulheres essa distância é menor, fazendo com que haja uma maior exposição dos dentes superiores ao sorrir e falar (Quadro 9-1 e Fig. 9-4).[4,8]

Quadro 9-1. Diferenças entre o terço feminino e o masculino

Terço superior	Masculino	Feminino
Linha de implantação capilar	Formato de M	Transição suave
Convexidade da fronte	Reta	Convexa
Protuberância do terço frontal inferior	Pronunciada	Ausente ou mínima
Ângulo nasofrontal	Agudo	Obtuso
Posição do supercílio	Reto, no rebordo supraorbital	Angulado, acima do rebordo supraorbital
Terço médio	**Masculino**	**Feminino**
Região zigomática	Larga e menos proeminente	Estreita e proeminente
Epicanto lateral	Ângulo neutro	Mais alto que o medial
Região malar	Retificada	Convexa
Dorso nasal	Reto	Curvo ou reto
Ângulo nasolabial	90-95 graus	95-100 graus
Terço inferior	**Masculino**	**Feminino**
Mento	Longo e quadrado	Curto e estreito
Mandíbula	Robusta, ângulo mandibular menor	Menor tamanho, ângulo mandibular maior
Lábios	Finos, menor projeção	Volumosos, projetados
Filtro labial	Longo	Curto

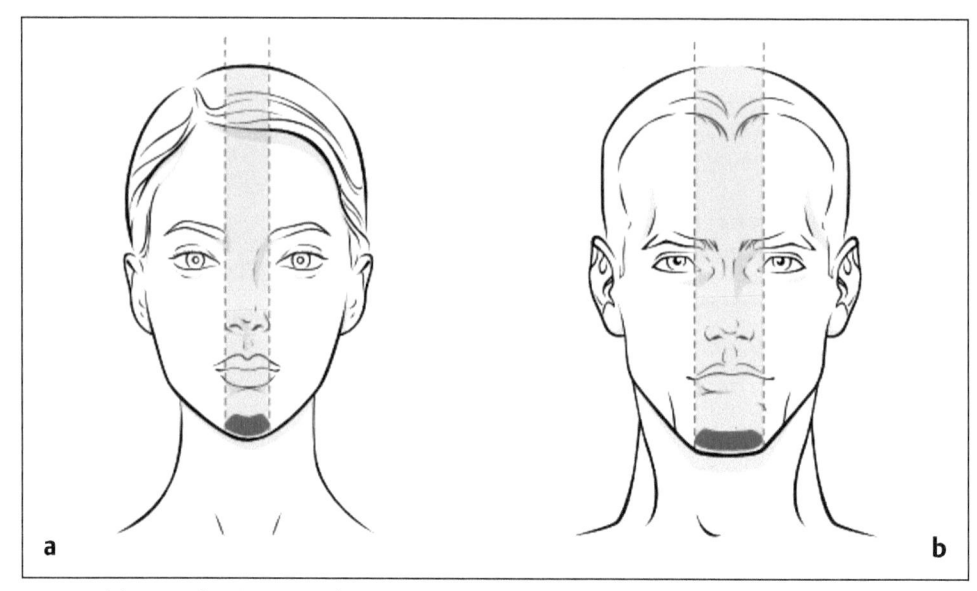

Fig. 9-4. (**a**) Mento feminino, não ultrapassando a largura das asas nasais. (**b**) Mento masculino respeitando a largura da rima labial.

REFERÊNCIAS BIBLIOGRÁFICAS

1. Juszczak HM, Fridirici Z, Knott PD, et al. An update in facial gender confirming surgery. Curr Opin Otolaryngol Head Neck Surg. 2019;27:243-252.
2. Lakhiani C, Somenek MT. Gender-related Facial Analysis. Facial Plast Surg Clin N Am. 2019.
3. Becking AG, Tuinzing DB, Hage JJ, Gooren LJG. Transgender Feminization of the Facial Skeleton. Clin Plastic Surg. 2007;34:557-564.
4. Nogueira PL. Estética Médica Facial. 1. ed. Belo Horizonte: D'Plácio; 2021. p. 29-31.
5. Dao HJ, Kazin R. Gender Differences in Skin: A Review of the Literature. Gender Medicine. 2007;(4):308-328
6. Giacomoni PU, Mammone T, Teri M. Gender linked differences in human skin. J Dermatol Science. 2009;(55):144-149.
7. Deschamps-Braly J. Approach to Feminization Surgery and Facial Masculinization Surgery: Aesthetic Goals and Principles of Management. J Craniofac Surg. 2019;(2):1-7.
8. Bravo BSF. Avaliação das Proporções Faciais e Preenchimento. 1. ed. Rio de Janeiro. 2021:3-25.
9. Springer IN, Zernial O, Nölke F, et al. Gender and Nasal Shape: Measures for Rhinoplasty. Plast Reconstr Surg. 2008;121(2):629-637.
10. Spiegel JH. Considerations in Feminization Rhinoplasty. Facial Plast Surg. 2020;36(1):53-56.
11. Rhodes G, Hickford C, Jefery L. Sex-typicality and attractiveness: are supermale and superfemale faces super attractive? Br J Psychol. 2000;(91):125-140.
12. Sayegh F, Ludwig DC, Ascha M, et al. Facial Masculinization Surgery and its Role in the Treatment of Gender Dysphoria. J Craniofac Surg. 2019;30(5):1339-134.

CONDROPLASTIA LARÍNGEA

Guilherme Simas do Amaral Catani ▪ Larissa Molinari Madlum
Maria Eduarda Carvalho Catani

INTRODUÇÃO

A condroplastia, ou *tracheal shave*, é um procedimento desenvolvido para reduzir a proeminência da cartilagem tireóidea. Foi inicialmente descrito por Wolfort e Parry em 1975[1] e, posteriormente, outras modificações na técnica original foram descritas por Wolfort *et al.* em 1990.[2]

A técnica é indicada principalmente para mulheres trans nas quais o "pomo de Adão" proeminente é um marcador de aparência masculina. Nos últimos anos, a cirurgia de afirmação de gênero tem se ampliado para além de seu foco inicial na conformação genital, e inclui agora também outras áreas do corpo.[3] À medida que a sociedade reconsidera suas interpretações de masculinidade, feminilidade e definições de gênero, os indivíduos transgênero perceberam que só serão capazes de fazer uma verdadeira transição se forem reconhecidos pelo público em seu papel social escolhido.[4] Assim, é importante que o cirurgião tenha conhecimento e prática nesse procedimento para melhor atender às necessidades de seus pacientes. É importante salientar que este procedimento também é realizado em homens e mulheres cis que desejam a redução do "pomo de Adão" proeminente para fins estéticos.[5]

A laringe masculina é indistinguível da feminina até a adolescência. Ao atingir a puberdade, a laringe masculina e, particularmente, a cartilagem tireóidea aumentam de tamanho.[6,7] A dimensão anteroposterior da laringe quase dobra de tamanho, resultando em maior projeção e proeminência na linha média. Além do tamanho, as bordas anteriores da cartilagem tireóidea também se conectam em um ângulo muito mais agudo, acentuando a proeminência laríngea.[8]

O procedimento representa um desafio para o cirurgião em equilibrar estética e função. A ressecção conservadora da cartilagem pode deixar o paciente insatisfeito com o resultado, enquanto a ressecção excessiva pode desestabilizar o tendão da comissura anterior e alterar o registro da voz do paciente. Isso é particularmente devastador em mulheres trans, nas quais a voz mais grave pode ser um evento desastroso.[5-7] Além disso, o ligamento tireoepiglótico deve ser considerado durante o procedimento, devido ao seu local de inserção próximo à borda superior da cartilagem tireóidea. Embora a desestabilização epiglótica seja rara, é um risco conhecido que pode teoricamente resultar em disfagia.[8,9]

A técnica descrita por Wolfort e Parry, em 1975, e modificada por Wolfort *et al.*, em 1990, lança mão de uma abordagem aberta, com o uso de *drill*, para o refinamento do contorno. Desde então, abordagens cirúrgicas guiadas por endoscopia têm sido realizadas, permitindo melhor visualização da anatomia, reduções mais agressivas sem lesão das cordas vocais e potencial para melhores resultados estéticos. Existem várias técnicas para a realização da condroplastia, mas os relatos dos desfechos não são abundantes na literatura.[1,2,5,8,10]

TÉCNICA CIRÚRGICA

A condroplastia pode ser realizada sob anestesia local com sedação ou anestesia geral com intubação endotraqueal. Geralmente optamos pela primeira opção. A anestesia geral é usada para pacientes pouco colaborativos.

Abordamos a proeminência da cartilagem tireóidea com incisão cervical alta na junção cervicomental. Depois que a incisão na pele é feita, o plano subcutâneo é dissecado. Os vasos cervicais anteriores são identificados e preservados, se possível, por retração lateral; e caso necessário, são ligados e seccionados. O controle hemostático deve ser rigoroso. Os músculos esternotireóideo e tíreo-hióideo são retraídos lateralmente facilitando o plano de dissecção na linha média e expondo o terço superior da cartilagem tireóidea. O pericôndrio externo é então incisado ao longo da borda superior das lâminas tireoideanas, iniciando na fúrcula e progredindo lateralmente até a linha oblíqua. Uma dissecção mais lateral pode lesar o nervo laríngeo superior. Dissecção subpericondral é realizada interna e externamente usando um elevador *Cottle* para descolar o pericôndrio e expor a cartilagem. O descolamento do pericôndrio interno não deve ir além da inserção do ligamento tireoepiglótico, a dissecção além desse ponto pode desestabilizar a epiglote e danificar a inserção das cordas vocais. Bisturi com lâmina 11 é usado para incisar e remover o excesso da cartilagem. Uma vez que o volume apropriado tenha sido removido, uma broca diamantada é usada para alisar e contornar as bordas da cartilagem tireóidea. As estruturas internas são protegidas com um retrator fino e maleável. A membrana tíreo-hióidea deve ser preservada, pois o dano pode lesar o nervo laríngeo superior, causando anestesia da laringe e possível bronco aspiração. Nos pacientes mais velhos a cartilagem geralmente está calcificada, o que torna a incisão difícil. Nesta situação optamos por realizar todo procedimento com *drill*. A pele é reaproximada para confirmar que um bom contorno foi alcançado e que nenhuma ressecção adicional é necessária. Os retalhos dos pericôndrios são suturados sobre a proeminência da cartilagem tireóidea. Geralmente suturamos a musculatura infra-hióidea direita na esquerda, formando um pequeno coxim sobre a área ressecada que ajuda no resultado estético. Após nova revisão da hemostasia, a pele é então suturada. Drenos não são necessários. Curativo compressivo é então realizado na mesa cirúrgica (Fig. 10-1).

Os pacientes têm alta no mesmo dia com prescrição de analgesia, antibiótico e corticoide. Repouso relativo é recomendado, evitando exercício físico pesado. A sutura é removida no sétimo dia.

Therattil *et al.*[5] descrevem as complicações mais comuns após a condroplastia: odinofagia em 20,3% dos pacientes, rouquidão em 36,2% e laringoespasmo em 1,4%. Dos pacientes que apresentaram rouquidão pós-operatória, 96% tiveram resolução em 20 dias.

A literatura atual não fornece muitas informações a respeito da segurança na realização de cirurgia de *pitch* vocal no mesmo tempo cirúrgico que a condroplastia.[5,6,8]

Independentemente da técnica utilizada, o tendão da comissura anterior deve ser protegido durante todo o procedimento, pois danos a essa estrutura podem resultar em um tom de voz mais grave, o que seria uma característica masculina indesejada em uma mulher trans.[3,8]

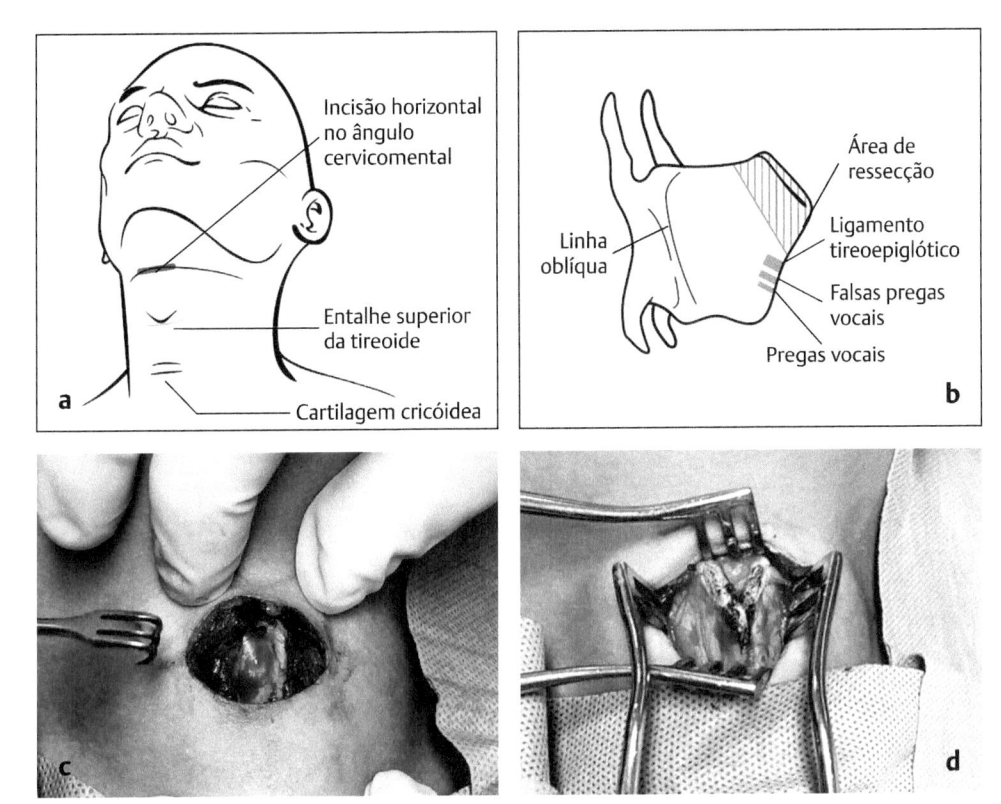

Fig. 10-1. (a) Visão esquemática do pescoço com a localização da área da incisão e reparos anatômicos. (b) Visão esquemática da área de ressecção e estruturas anatômicas próximas. (c) Exposição da cartilagem tireóidea. (d) Leito da área ressecada.

Em geral, os pacientes ficam satisfeitos com os resultados desse procedimento. Cohen et al.,[6] em trabalho sobre satisfação pós-condroplastia, descrevem que 50% dos pacientes relataram que seu pescoço/pomo de Adão não tinha nenhuma caraterística masculina e apenas 15% relataram insatisfação. Os 30% intermediários ficaram satisfeitos com seus resultados, mas ainda relataram uma pequena proeminência, embora em alguns casos apenas perceptível para eles próprios.

CONDROPLASTIA DE AUMENTO

Embora muito menos comum, o caminho inverso também pode ser percorrido. É possível realizar a condroplastia de aumento, ou seja, a criação de um "pomo de Adão" em homens trans. A técnica descrita por Deschamps-Braly et al., utiliza cartilagem costal para este fim.[11]

O enxerto deve ter a forma de uma pirâmide oblíqua estreita com a base de aproximadamente três quartos da largura da cartilagem tireóidea existente. Esta dimensão favorece estabilidade do enxerto, uma vez que este será fixado na cartilagem existente com suturas permanentes. Em seguida é realizada a sutura do platisma sobre a cartilagem e o fechamento da pele. Não é possível obter o fechamento pericondral sobre a cartilagem. Não são usados drenos (Fig. 10-2).[10-12]

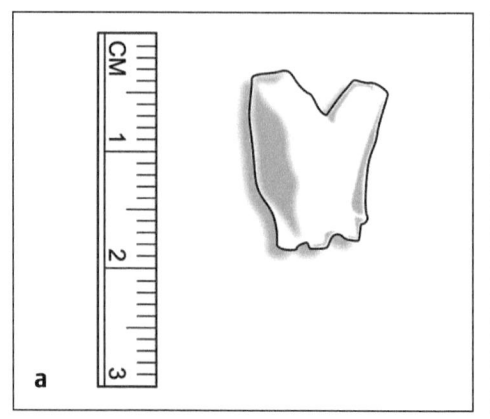

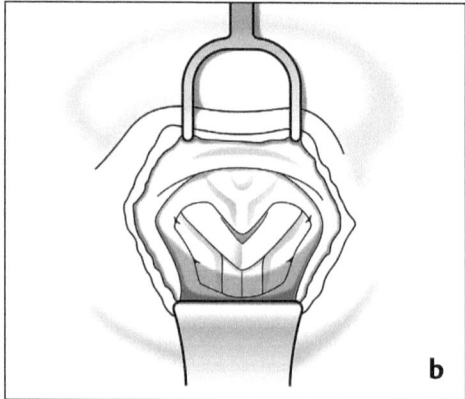

Fig. 10-2. (a) Formato do enxerto de cartilagem costal. (b) Fixação do enxerto sobre a cartilagem tireóidea.

Fig. 10-3. QR Codes.

Obtenha mais informações e atualizações acessando os QR Codes mostrados na Figura 10-3.

REFERÊNCIAS BIBLIOGRÁFICAS
1. Wolfort FG, Parry RG. Laryngeal chondroplasty for appearance. Plast Reconstr Surg [Internet]. 1975;56(4):371-4.
2. Wolfort FG, Dejerine ES, Ramos DJ, Parry RG. Chondrolaryngoplasty for appearance. Plast Reconstr Surg [Internet]. 1990;86(3):464-470.
3. Sturm A, Chaiet SR. Chondrolaryngoplasty-Thyroid Cartilage Reduction. Facial Plast Surg Clin North Am [Internet]. 2019;27(2):267-72.
4. Tang CG. Evaluating Patient Benefit From Laryngochondroplasty. Laryngoscope [Internet]. 2020;130:S1-14.
5. Therattil PJ, Hazim NY, Cohen WA, Keith JD. Esthetic reduction of the thyroid cartilage: A systematic review of chondrolaryngoplasty. JPRAS Open. 2019;22:27-32.
6. Cohen MB, Insalaco LF, Tonn CR, Spiegel JH. Patient satisfaction after aesthetic chondrolaryngoplasty. Plast Reconstr Surg – Glob Open. 2018;6(10):1-4.
7. Chung J, Purnell P, Anderson S, et al. Transoral Chondrolaryngoplasty: Scarless Reduction of the Adam's Apple. OTO Open. 2020;4(3):2473974X2093829.
8. Hammond SE, Cohen E, Rosow D. Feminization of Transgender Women With Thyroid Chondroplasty and Laryngoplasty. J Craniofac Surg [Internet]. 2019;30(5):1409-13.
9. Van Boerum MS, Salibian AA, Bluebond-Langner R, Agarwal C. Chest and facial surgery for the transgender patient. Transl Androl Urol. 2019;8(3):219-27.

10. Khafif A, Shoffel-Havakuk H, Yaish I, et al. Scarless Neck Feminization: Transoral Transvestibular Approach Chondrolaryngoplasty. Facial Plast Surg Aesthetic Med. 2020;22(3):172-80.
11. Deschamps-Braly JC, Sacher CL, Fick J, Ousterhout DK. First Female-to-Male Facial Confirmation Surgery with Description of a New Procedure for Masculinization of the Thyroid Cartilage (Adam's Apple). Plast Reconstr Surg. 2017;139(4):883e-887e.
12. Do Amaral Catani GS. et al. Laryngeal Chondroplasty an Update. Clin Surg. 2021;5(11):1-4.

RINOPLASTIA NO PROCESSO TRANSEXUALIZADOR

CAPÍTULO 11

Daniela Dranka de Moraes
Maria Theresa Costa Ramos de Oliveira Patrial

INTRODUÇÃO

A rinoplastia está inserida no conjunto de procedimentos faciais cirúrgicos para a confirmação de gênero que visam à feminização ou à masculinização da face. A maioria dos pacientes que buscam tratamentos para auxiliar no processo de transexualização é formada por mulheres transgênero.[1] Já se sabe que os procedimentos faciais incluídos no processo transexualizador melhoram muito a autoestima e a qualidade de vida dos pacientes transgênero.[2]

Os procedimentos cirúrgicos faciais mais comumente realizados em mulheres trans são: avanço da linha capilar, suspensão do supercílio, diminuição do queixo e da mandíbula, implante de malar e suspensão do lábio superior. Esses procedimentos visam uma redução do terço superior e inferior da face, com aumento do terço médio facial, características comuns na face feminina.

Já em homens trans são mais comuns: aumento do tamanho da fronte, avanço maxilo-mandibular, rinoplastia, mentoplastia e colocação de enxerto na cartilagem tireóidea.

Com o avanço da tecnologia, cada vez mais os tratamentos cirúrgicos faciais têm sido complementados com tratamentos injetáveis, utilizando preenchedores, fios de sustentação absorvíveis, tratamentos com *laser* e cosmecêuticos. Os preenchedores não absorvíveis, como o polimetilmetacrilato (PMMA), têm dado mais espaço aos preenchedores absorvíveis como o ácido hialurônico e a hidroxiapatita de cálcio.

É importante que os cirurgiões faciais não se preocupem apenas com a rinoplastia de feminização ou masculinização isoladamente, mas também com todos os aspectos faciais que envolvem essa transição.

ATENDIMENTO AO PACIENTE TRANSGÊNERO

O atendimento ao paciente transgênero requer máxima sensibilidade e empatia. Mesmo cirurgiões com vasta experiência técnica e habilidade devem ter atenção e cuidado com os aspectos sociais e psicológicos que envolvem o processo transsexualizador.

Durante a avaliação, o cirurgião deve observar todos os aspectos da face. Não se recomenda apontar ou verbalizar características do gênero de nascimento no momento da consulta, mas apenas se for solicitado que o faça. Ao contrário, apontar as características femininas à mulher trans e as masculinas ao homem trans pode ajudar a construir uma relação de confiança e autenticidade do paciente com a própria face. Esse é um conceito chamado mosaico de gênero facial, no qual é dito que as características faciais femininas e masculinas se misturam na face de qualquer paciente.[1]

Como as expectativas dos pacientes transgênero geralmente são elevadas e os pacientes costumam ter problemas profundos com a autoimagem, é papel do cirurgião discutir as expectativas reais e definir os objetivos concretos dos procedimentos faciais recomendados.

É importante lembrar que os pacientes transgênero procuram o cirurgião da face para adquirir características faciais que afirmem suas identidades de gênero, ao contrário de muitos pacientes cisgêneros dos quais as queixas são mais pontuais.

EXAME FÍSICO

Ao exame físico, além das características anatômicas faciais, os cirurgiões devem avaliar a qualidade e a espessura da pele do paciente, bem como as características genéticas e étnicas.

Os pacientes transgênero femininos podem ter alterações na qualidade da pele após o uso de estrogênios, sendo necessário aguardar de 1 a 2 anos para uma melhor avaliação para rinoplastia ou demais cirurgias faciais.[2]

Os pacientes que são homens trans podem também evoluir com alterações na qualidade da pele em razão do uso de hormônios masculinos, tornando-a mais pilificada (hirsutismo), oleosa e acneica.

É importante que o paciente transgênero que opte pelo procedimento facial também esteja em acompanhamento regular com médicos especialistas em endocrinologia e dermatologia.

Durante a avaliação nasal, é importante observar o tamanho do nariz, o formato das narinas, a posição do *supratip* e do *infratip*, a espessura da pele da ponta nasal, a altura da testa e a posição do *radix*.[3] Em mulheres trans, deve-se observar também a altura da fronte pois a rinoplastia pode ser realizada em conjunto com a frontoplastia.

Alterações da função nasal também devem ser levadas em conta no planejamento da rinoplastia em pacientes transgênero. A incidência de apneia obstrutiva do sono em mulheres trans é alta e pode ser considerada um fator de contraindicação de cirurgia combinada de mandíbula e nariz.

DIFERENÇAS ÉTNICAS E DE GÊNERO NA ANATOMIA NASAL

As características que identificam o gênero facial dependem da época e da cultura em que se vive. Alguns autores defendem que a cirurgia facial em pacientes transgênero deve ter como objetivo principal atingir as características bem definidas do gênero oposto para que o paciente não tenha seu gênero confundido na sociedade, porém essa decisão deve ser compartilhada com o paciente.

Com o aumento da produção de testosterona na puberdade, ocorre uma expansão do seio frontal, levando as mulheres trans a apresentarem o ângulo nasofrontal mais agudo. Geralmente os homens cis apresentam ângulo nasofrontal em torno de 130° e mulheres cis apresentam uma angulação maior em torno de 145°. O *radix* geralmente é mais alto em homens cis, porém em narizes masculinos africanos e asiáticos pode estar localizado mais abaixo. A largura do osso nasal geralmente é maior em homens do que nas mulheres, com dorso nasal mais reto e nas mulheres mais côncavo. Narizes masculinos geralmente são mais projetados, em torno de 34 mm e narizes femininos têm projeção em torno de 29 mm. A rotação nasal é maior em mulheres do que em homens. Enquanto as mulheres apresentam ângulo nasolabial em torno de 115°, os homens apresentam ângulos nasolabiais menores, variando na média de 95-100°.[4,5]

Há também uma diferença na base das asas nasais, com cerca de 4 mm de largura a mais para os homens. As narinas do nariz feminino costumam ser mais arredondadas do que alongadas.[3]

Outra diferença na avaliação facial entre homens e mulheres é a distância entre o nariz e o lábio, sendo mais longa em homens quando se compara às mulheres. Na rinoplastia de feminização, pode-se associar a suspensão do lábio superior com incisão subnasal, cirurgia também conhecida como *lip lift*.

TÉCNICAS CIRÚRGICAS
Acesso Cirúrgico
O acesso cirúrgico para rinoplastia é comumente dividido em dois: acesso fechado e acesso aberto. Alguns autores consideram o acesso fechado com *delivery* da ponta nasal como sendo um acesso semiaberto. Ambos os acessos são versáteis e permitem boas abordagens do nariz. O cirurgião deve escolher o acesso e as técnicas com os quais está mais habituado e confortável. Para essa escolha, devem-se considerar também cirurgias nasais prévias, cirurgia ortognática, uso de cocaína ou alguma doença autoimune.[3]

Dorso e *Radix*
Mulheres trans com aumento do dorso nasal, giba óssea e aumento da projeção requerem diminuição do dorso nasal, deixando-o mais reto ou levemente côncavo, diminuição da projeção nasal e rotação da ponta. Na visão de frente, deve-se reduzir a largura do dorso nasal e da base alar (asas nasais). As técnicas da rinoplastia de feminização envolvem osteotomias, raspagem da giba nasal e colocação de enxerto na região do *radix*.[1] Se a rinoplastia de feminização for realizada juntamente com a frontoplastia em pacientes com o *radix* alto, primeiramente deve ser realizada a frontoplastia e depois a redução do dorso nasal e, por último, acomoda-se a pele que sobrou. Mulheres trans que passaram por rinoplastia de redução e frontoplastia podem desenvolver prega epicantal bilateral devido à pele redundante.[3]

Quando a redução de dorso é superior a 4 mm, é importante a colocação de *spreader grafts* bilateralmente para estabilizar a linha dorsal e dar suporte à válvula nasal interna.[6]

Em homens trans, deve-se tentar manter as linhas estéticas do dorso nasal com o uso de *spreader grafts* (Fig. 11-1a). Se o planejamento cirúrgico for para aumentar a projeção nasal, as porções caudais dos *spreader grafts* devem ser posicionadas à frente do ângulo septal. Se não for planejado o aumento da projeção do nariz, as porções caudais dos *spreader grafts* não devem ultrapassar o ângulo septal (Fig. 11-1b). Máxima atenção deve ser dada ao posicionamento do *radix*, avaliando a necessidade de enxerto de cartilagem nesta posição, uso de cartilagem em gel ou picada.[7,8]

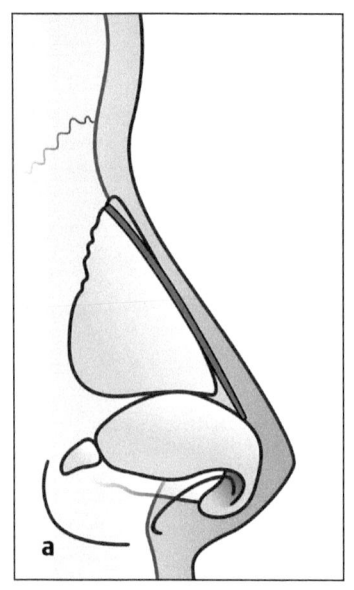

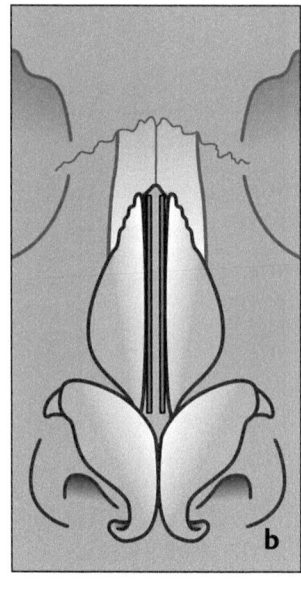

Fig. 11-1. (a) Nariz em visão de perfil, destacando a posição do *spreader graft* em cor mais escura. (b) Nariz em visão de frente, destacando a posição dos dois *spreader grafts* nas laterais do septo nasal.

Ponta Nasal

O refinamento da ponta nasal é o objetivo principal da rinoplastia de feminização. Deve-se lembrar que a alteração em uma cartilagem pode modificar toda a estrutura tridimensional da ponta nasal. Na ponta nasal, procura-se aumentar a rotação e diminuir tanto a projeção quanto a largura. Ao contrário dos narizes cisgêneros, os narizes de mulheres trans necessitam muitas vezes de manobras mais agressivas para que adquiram características do gênero. Um cuidado a ser tomado é com a rotação acentuada da ponta nasal, o que pode gerar um *supratip breakpoint* muito marcado.[1] Apesar de ser um desejo por parte das mulheres trans, um *supratip* exagerado e um dorso muito côncavo pode deixar o nariz com aspectos artificiais. O cirurgião deve conversar extensivamente sobre as expectativas do paciente e as proporções nasais na consulta pré-operatória.

As *crura* laterais das cartilagens laterais inferiores (CLI) nas mulheres trans costumam ser mais bulbosas e largas. Algumas manobras cirúrgicas devem ser realizadas para que as *crura* laterais fiquem mais retas. Pode-se também ressecar uma pequena porção cefálica das *crura* laterais das CLI, deixando-as mais estreitas, com uma largura entre 7 e 8 mm.[1] Na ressecção da porção cefálica, mesmo em mulheres trans, que possuem cartilagens mais fortes, pode-se realizar um *turn-in flap*, dissecando a pele do vestíbulo nasal e dobrando a porção ressecada da cartilagem para dentro (Fig. 11-2a). Isso ajuda a cartilagem a ficar mais retificada.[3] Outra opção é a colocação de *strut* de *crus* lateral (Fig. 11-2b).

A diminuição da projeção nasal pode ser alcançada com a lateralização do *domus* e a redução das *crura* mediais das CLI, através de técnica de divisão com *overlap* de cada lado. Em alguns pacientes que necessitam de maior desprojeção, pode ser realizada técnica de divisão e *overlap* das *crura* laterais das CLI seguida por divisão e *overlap* das *crura* mediais das CLI. Essa técnica fortalece o suporte nasal e diminui a chance de colapso da válvula nasal externa.[9] Uma preocupação com o *overlap* de *crura* laterais é com a aparência e a marcação da cartilagem na pele ao longo dos anos. Porém, na experiência de

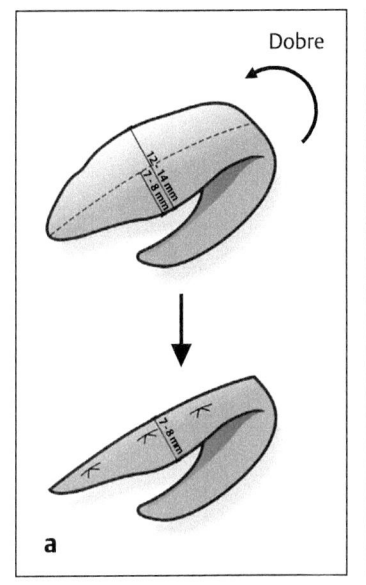

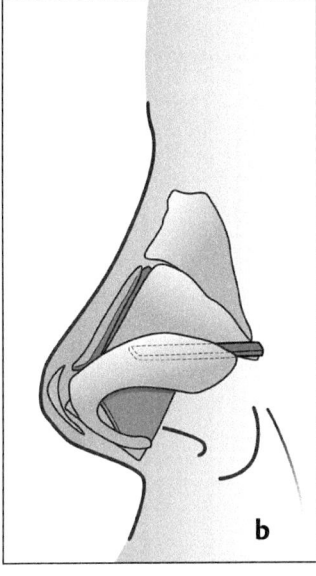

Fig. 11-2. (a) Manobra de *turn-in-flap* na *crus* lateral da CLI. (b) Nariz em visão de meio-perfil, mostrando o *strut* de *crus* lateral estendendo-se abaixo da CLI.

muitos autores, pela maior espessura da pele em transgêneros femininos, essa não deve ser uma preocupação.[3]

Em casos de desprojeção excessiva em rinoplastia aberta, é necessária a excisão de pele da columela para evitar cicatrizes inestéticas.

Na ponta nasal, deve-se sempre considerar a colocação de enxertos e suturas para melhor definição. Na região da columela deve ser usado extensor septal, *strut grafts* ou manobra de *tongue-in-groove* para evitar queda da ponta nasal. Bom esclarecer que a diminuição da largura das *crura* laterais pode desestabilizar a asa nasal e provocar retração. Portanto, nesses casos, deve-se considerar a colocação de enxertos de asas nasais (*alar rim grafts*).

Em alguns casos de rinoplastia de feminização em que a pele da paciente é muito espessa, pode ser realizada a excisão de fragmentos pequenos do sistema muscular aponeurótico abaixo da pele do *supratip* para evitar *pollybeak*.[3]

Asa Nasal

Mulheres trans podem apresentar a largura de base alar maior que a distância intercantal e narinas mais alongadas do que arredondadas. Nesses pacientes, a desprojeção do nariz e as fraturas nasais podem provocar *alar flare* bilateral, sendo necessária redução da base nasal com vestibuloplastia, também chamada de alectomia.

A rinoplastia com acesso aberto pode ser associada à técnica de suspensão do lábio superior (*lip-lift*), sem prejuízo ou deformidade na columela ou na base alar.[10]

CONCLUSÕES

- A cirurgia de feminização ou masculinização facial requer máximos cuidados, empatia e atenção do atendimento inicial ao pós-operatório;
- A maioria dos pacientes que procura a cirurgia facial para o processo transexualizador é formada por trangêneros femininos;

- O planejamento cirúrgico deve ser baseado nos conhecimentos anatômicos e diferenças entre os gêneros e as etnias;
- As técnicas são as mesmas utilizadas em pacientes cisgêneros, porém com manobras mais refinadas na tentativa de atingir o resultado compatível com o gênero oposto ao do nascimento.

REFERÊNCIAS BIBLIOGRÁFIAS

1. Berli JU, Loyo M. Gender-confirming Rhinoplasty. Facial Plast Surg Clin North Am. 2019;27(2):251-260.
2. Ainsworth TA, Spiegel JH. Quality of life of individuals with and without facial feminization surgery or gender reassignment surgery. Qual Life Res. 2010;19(7):1019-24.
3. Spiegel JH. Considerations in Feminization Rhinoplasty. Facial Plast Surg. 2020;36(1):53-56.
4. Springer IN, Zernial O, Nölke F, et al. Gender and nasal shape: measures for rhinoplasty. Plast Reconstr Surg. 2008;121(2):629-637.
5. Tanna N, Nguyen KT, Ghavami A, et al. Evidence-Based Medicine: Current Practices in Rhinoplasty. Plast Reconstr Surg. 2018;141(1):137e-151e.
6. Noureai SA, Randhawa P, Andrews PJ, Saleh HA. The role of nasal feminization rhinoplasty in male-to-female gender reassignment. Arch Facial Plast Surg. 2007;9(5):318-20.
7. Rohrich RJ, Mohan R. Male Rhinoplasty: Update. Plast Reconstr Surg. 2020;145(4):744e-753e.
8. Sayegh F, Ludwig DC, Ascha M, et al. Facial Masculinization Surgery and its Role in the Treatment of Gender Dysphoria. J Craniofac Surg. 2019;30(5):1339-1346.
9. Insalaco L, Rashes ER, Rubin SJ, Spiegel JH. Association of Lateral Crural Overlay Technique With Strength of the Lower Lateral Cartilages. JAMA Facial Plast Surg. 2017;19(6):510-515.
10. Insalaco L, Spiegel JH. Safety of Simultaneous Lip-Lift and Open Rhinoplasty. JAMA Facial Plast Surg. 2017;19(2):160-161.

PROCEDIMENTOS FACIAIS NÃO CIRÚRGICOS NO PROCESSO TRANSEXUALIZADOR DA FACE

Carolina Dranka
Maria Theresa Costa Ramos de Oliveira Patrial

INTRODUÇÃO

Nos últimos anos, houve um crescimento acelerado de pacientes que procuram por procedimentos faciais estéticos não cirúrgicos. Dentre eles, os procedimentos injetáveis podem atingir resultados satisfatórios com risco relativamente baixo e em curto tempo. Em contrapartida, a cirurgia é um procedimento mais invasivo e definitivo. Além disso, os procedimentos injetáveis com preenchedores ou fios absorvíveis podem funcionar como uma tentativa reversível do que o paciente ou o médico almejam conseguir com a cirurgia. Para o público transgênero, como a cirurgia facial costuma ser o último passo no processo transexualizador, os procedimentos injetáveis podem funcionar como tratamentos adjuvantes e reversíveis deste processo.[1] Em pacientes com contraindicação para cirurgia ou com limitações de expectativa de resultados, os procedimentos injetáveis são boas opções para a modificação facial.[2] Certos pacientes trangênero também esperam o efeito dos hormônios sexuais nas características faciais, o que pode levar até 2 anos, sendo os tratamentos injetáveis boas opções.

Alguns autores relatam haver três causas principais para os pacientes transgênero que procuram tratamentos faciais reversíveis antes da cirurgia: eles podem ter condições físicas ou psicológicas que contraindiquem a cirurgia, querem saber como ficaria um resultado parcial antes da cirurgia ou não estão de fato interessados ou prontos para passar pela cirurgia facial.[2]

É importante que o paciente transgênero saiba que os procedimentos injetáveis faciais ou a colocação de fios antes da cirurgia definitiva de feminização ou masculinização facial podem dificultar o descolamento dos tecidos numa cirurgia posterior.[3]

Para atendimento aos pacientes transgênero, os profissionais que trabalham com procedimentos estéticos faciais devem entender as diferenças anatômicas associadas ao gênero e tentar alcançar resultados que confirmem o gênero no qual o paciente se identifica. Estes procedimentos também já se mostraram aliados na melhora da autoimagem, qualidade de vida e autoestima do paciente, podendo ser ainda mais benéficos quando realizados em pacientes trangêneros.[4]

Mesmo sendo rápidos, realizados dentro do consultório e geralmente reversíveis, os procedimentos de harmonização facial têm custos elevados, tornando-se uma barreira para o acesso de toda a população transgênero.[5]

Há muitos relatos também de pacientes transgênero que se submeteram a aplicações de substâncias não aprovadas, como o caso de silicone líquido, na face ou no corpo, com consequências devastadoras. Os materiais ilícitos compreendem lanolina, parafina líquida, silicone industrial, entre outros.[6-8] Também há muito uso de polimetilmetacrilato (PMMA), por profissionais não habilitados e sem experiência, por se tratar de uma substância mais barata. É importante o médico-assistente orientar os pacientes trangênero sobre as sérias complicações que o uso de substâncias ilícitas pode causar, como embolia pulmonar, dano tecidual, transfiguração e morte.[9-11]

PROCEDIMENTOS PARA FEMINIZAÇÃO FACIAL

Mulheres trans geralmente preferem alterar a face antes da cirurgia de mama ou do genital. Há uma maior preocupação com a face e com o pomo de Adão entre as mulheres trans, enquanto os homens trans preocupam-se mais com as mamas. Geralmente as mulheres trans começam procurando procedimentos faciais para remoção de pelos, como *laser*, cirurgia e depois procedimentos injetáveis.[2]

A procura e decisão por procedimentos faciais na população trans é comumente multifatorial, envolvendo custo e acesso ao sistema de saúde.

Devem ser levadas em conta as seguintes características faciais femininas: fronte convexa, cauda do supercílio elevada, olhos mais abertos, dorso nasal côncavo, malar proeminente, têmporas levemente convexas, ângulo da mandíbula mais obtuso, queixo mais pontudo e lábios mais carnudos. A face feminina geralmente tem características proeminentes no terço superior com uma atenuação gradual para o terço inferior.[12-15]

Preenchimento na Feminização Facial

Os lábios costumam ser queixa comum entre as mulheres trans, sendo os lábios femininos considerados simétricos, cheios, com contornos demarcados, comissuras elevadas, arco do cupido marcado e razão entre lábio superior e inferior de ½. Preenchimentos, implantes e enxertos com gordura autóloga podem ser utilizados para o aumento do lábio. A preferência é usar ácido hialurônico, por se tratar de um preenchedor absorvível com menor risco de complicação, podendo o procedimento ser realizado em consultório. Se o lábio precisar apenas de formato, pode-se fazer preenchimento apenas no contorno. Se o lábio necessitar de maior volume ou projeção, deve-se injetar em plano mais profundo.[16-18]

Os preenchedores podem ser aplicados também na região malar para atingir uma maior projeção e volume desta região. Como mulheres trans costumam ter a pele mais espessa, uma quantidade maior de preenchedor e/ou tipos com maior resistência devem ser escolhidos.[19]

Uma opção para aumentar o ângulo nasolabial e empinar o nariz é o preenchimento da columela nasal na porção mais posterior, inferiormente aos pés das *crura* mediais.

O uso de preenchedores pode ainda melhorar o desenho da sobrancelha, elevando a cauda, podendo também ser realizada aplicação de toxina botulínica na região periorbitária, regiões do prócero e do corrugador para elevar o olhar.[20,21]

A aplicação de preenchedor de ácido hialurônico de alta resistência no sulco nasogeniano pode ajudar na feminização facial, já que homens costumam apresentar esse sulco mais profundo. Nesta região, a aplicação deve ser sempre realizada com cânula e com retroinjeção.[3]

Podem-se também usar preenchedores na fronte, para deixar a região mais convexa, também associados à toxina botulínica, para amenizar as rugas de expressão.[21] Nesta região, deve-se levar em consideração a espessura relativamente fina da pele, podendo o preenchimento resultar em nódulos ou formações lineares. Devem-se evitar também injeções profundas nas áreas dos forames supratroclear e supraorbitário, locais de potenciais riscos de lesão vascular e de amaurose.

Na harmonização facial masculina cis, costuma-se evitar o uso exagerado de produtos para conservar um pouco da expressão facial; porém, na feminização facial, maiores volumes de produtos e unidades de toxina botulínica devem ser usados.[22]

A rinomodelação pode ser uma opção, porém é geralmente usada para pequenos defeitos.[19] Quando se deseja um ângulo nasofrontal mais obtuso, pode-se injetar preenchedor na região do *radix*. Lembrar sempre que esta é uma região de extremo risco para complicações vasculares.[23]

Preenchimento da fossa temporal pode ser realizado, complementando a feminização da face.[12]

Toxina Botulínica na Feminização Facial

Mulheres trans podem requerer maior número de doses de toxina botulínica, pois costumam ter uma musculatura mais forte e de maior dimensão.[24-27] O efeito também costuma ser menos duradouro e o início da paralisação muscular costuma ser mais tardia.[28-31]

Alguns estudos demonstraram que em pacientes cisgênero masculinos, o sistema muscular facial promove movimentos mais amplos e que o subcutâneo possui pouca gordura, favorecendo a formação precoce de linhas de expressão faciais.[32]

A aplicação de toxina botulínica na região periorbitária superolateral (músculo orbicular dos olhos), músculo frontal, prócero e corrugador pode promover uma fronte mais plana, olhos mais abertos e a elevação da cauda da sobrancelha.

Para esse efeito de supercílio lateral mais elevado, deve-se aplicar toxina botulínica no músculo orbicular dos olhos, em região superolateral e fazer microdoses em região inferior para as linhas mais finas. A microdose é ¼ da dose convencional. Para elevar o olhar, fazer a aplicação na região da glabela, músculos prócero e corrugadores, evitando a aplicação na região da linha média pupilar, pelo risco de ptose palpebral.[33]

Na região do músculo masseter, pode-se fazer aplicação de toxina botulínica com o desejo de deixar a face mais arredondada.[33]

Lipossucção e Aplicação de Ácido Deoxicólico

O excesso de pele e de gordura submental pode incomodar algumas mulheres trans, necessitando de tratamento. Uma opção quando a gordura é localizada, sem grandes excessos de pele, é a aplicação do ácido deoxicólico na região submental. Outra opção é a lipossucção da região cervical e submental.[19]

Homens cisgênero tendem a ter uma pele mais espessa e redundante na região submental, com deiscência do músculo platisma. Nestes casos, a aplicação de ácido deoxicólico é insuficiente para o tratamento da região, sendo necessária abordagem cirúrgica com a aplicação do platisma e a ressecção do excesso de pele (*lift* cervical).[27,34]

No *lift* cervical e facial, pacientes cisgênero masculinos requerem que a incisão seja feita em posição pré-triquial para não alterar a linha da barba. Em pacientes mulheres cisgênero ou transgênero que já fizeram tratamento para remoção de pelos faciais, a incisão pode ficar no sulco pré-auricular e no contorno do trágus.[33]

PROCEDIMENTOS PARA MASCULINIZAÇÃO DA FACE

Os procedimentos faciais podem ajudar a masculinizar a face, amenizando as características femininas, sendo considerados de baixo risco, de caráter temporário ou semipermanente, nos homens trans.

Para avaliação da população de homens trans, é necessário reconhecer as características faciais do gênero, procurando atingir com o tratamento um rosto masculino mais quadrado, com mandíbula mais larga e angulada e com proporções semelhantes entre o terço superior e o inferior.[35]

Uma face masculina engloba uma fronte larga e alta, sobrancelhas retas, região supraorbitária projetada, nariz projetado e com dorso reto, mandíbula larga e com ângulo reto, queixo projetado, e a presença de pelos faciais.[35-37] A testa masculina é caracterizada pela saliência frontal e saliência do ângulo orbital lateral superior.[38]

Preenchimento na Masculinização Facial

Os formatos da mandíbula e do queixo costumam ser as principais queixas anatômicas da população de homens trans. Podem ser usados preenchedores para aumentar o queixo, deixando-o mais masculino.[39] Comparado às técnicas de avanço com osteotomia do mento ou colocação de implantes aloplásticos, os preenchedores são menos invasivos, não necessitando de incisões. A maioria dos preenchedores disponíveis no mercado, com baixo potencial de risco, é formada por preenchedores absorvíveis.[40] Devido a isso, deve-se informar o paciente da necessidade periódica de novas aplicações.[41] Estudos sugerem aplicação de ácido hialurônico reticulado em região subcutânea, profundo ao espaço adiposo para genioplastia em pacientes cisgênero.[36] Para região do mento é mais indicado o uso de cânulas, para evitar evento vascular. Porém na literatura há preferência de alguns autores por agulhas de calibres 25 a 27 gauges.[42]

Os pontos de injeção incluem a dobra mentual, ápice do queixo, queixo anterior (pogônio), queixo submentoniano (menton), queixo inferior lateral e sulco pré-maxilar.[42]

Preenchimentos também podem ser usados para destacar a mandíbula, promovendo um ângulo mandibular mais reto e uma face masculina mais quadrada.[43] Nesta região pode-se usar tanto ácido hialurônico de alta resistência quanto hidroxiapatita de cálcio (Fig. 12-1).

Para dar mais firmeza à pele, hidroxiapatita e ácido L-polilático têm sido usados para estimular o colágeno, principalmente no terço inferior da face.[42,43] Lembrando que o ácido L-polilático tem maior poder de bioestímulo de colágeno e pouco efeito preenchedor. Já a hidroxiapatita de cálcio tem maior efeito preenchedor, quando menos diluído ou sem diluição. Para este fim, as agulhas de calibre 27 a 30 gauges ou cânulas rombas de 5 a 7 cm podem ser usadas, e o tipo de preenchimento varia amplamente de acordo com a preferência do injetor. O ponto de entrada é tipicamente lateral ao forame mental, com pequenas alíquotas injetadas de forma retrógrada e em leque.[42]

A face masculina tem uma crista supraorbital mais pronunciada. Este aumento da crista supraorbital pode ser alcançado cirurgicamente com tecido autólogo ou materiais aloplásticos.[44,45] As regiões do *radix*, da glabela e supraorbitária são áreas de maior risco de evento de oclusão vascular grave por compressão ou embolização vascular, podendo levar à amaurose imediata e irreversível, às vezes, bilateralmente. O preenchimento da glabela e da região supraorbitária não é descrito e tem sido contraindicado por profissionais da área.[33]

Narizes masculinos são mais largos com um nasofrontal mais agudo do que o nariz feminino.[46,47] Pequenas mudanças no dorso nasal ou na parede lateral do nariz podem ser

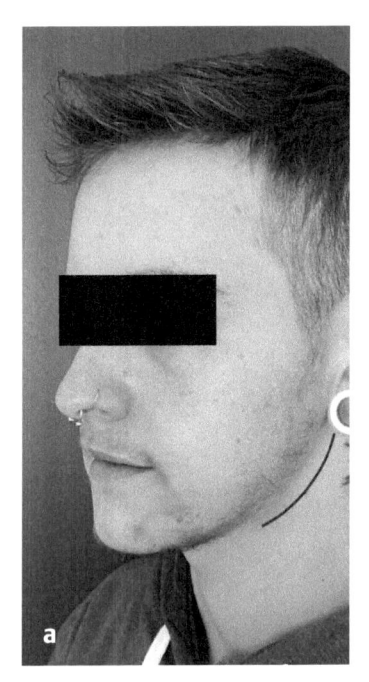

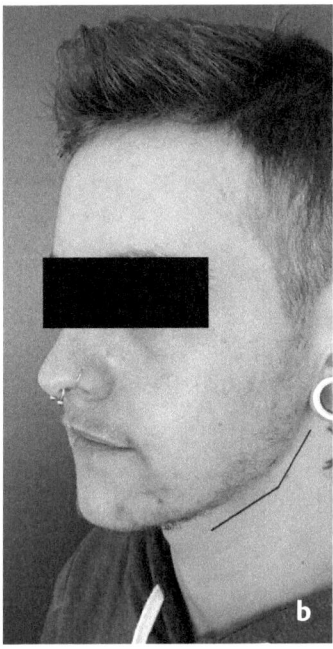

Fig. 12-1.
(**a**) Preenchimento de ângulo da mandíbula em homem trans. (**b**) Imagem imediatamente após o preenchimento com ácido hialurônico reticulado, marcando o ângulo da mandíbula e deixando a face mais quadrangular.

alcançadas com preenchimento.[3] Importante frisar que o preenchimento nasal, mesmo com o uso de cânulas, pode levar à oclusão vascular com necrose dos tecidos, cicatrizes e até amaurose. Infecções são potencialmente letais, pois as veias drenam o sangue a partir do nariz para as veias oftálmicas e daí para o sistema venoso intracraniano, podendo causar meningite e trombose do seio cavernoso. Para preenchimento do dorso nasal, usar sempre cânula, acompanhar a linha estética do dorso e fazer retroinjeção ao longo do comprimento do nariz. Na parede lateral, pode-se fazer aplicação de pequenas quantidades em pontos separados.[48,49]

Toxina Botulínica na Masculinização da Face

Homens trans geralmente necessitam de menores quantidades de toxina botulínica do que os cisgêneros. A toxina botulínica na masculinização facial é indicada no rebaixamento da sobrancelha e para deixar o supercílio mais reto. É feita a aplicação no músculo frontal, preservando certa mobilidade. Deve-se evitar também a aplicação até 1 cm acima do supercílio na linha média pupilar, local de inserção do músculo elevador da pálpebra superior.

Para o rejuvenescimento também pode ser aplicada toxina botulínica nas rítides periorbitárias e glabela, porém sem exagero, pois essa paralisação pode manter características femininas da face, elevando o supercílio.[50]

CONCLUSÕES

Os procedimentos faciais não cirúrgicos são uma boa opção para pacientes trangênero que não querem, não estão preparados ou têm alguma contraindicação para cirurgia facial.

É importante que o profissional injetor tenha conhecimento aprofundado da anatomia facial e das características faciais de cada gênero.

Apesar de bem disseminado, os custos elevados dos procedimentos faciais podem ser uma barreira ao acesso à população transgênera, levando muitos a utilizarem substâncias ilícitas ou mais baratas, aplicadas sem as devidas condições de higiene e por profissionais sem experiência.

REFERÊNCIAS BIBLOGRÁFICAS

1. Berli JU, Capitán L, Simon D, et al. Facial gender confirmation surgery—review of the literature and recommendations for version 8 of the WPATH standards of care. Int J Transgenderism. 2017;18(3):264-270).
2. Ginsberg BA, Calderon M, Seminara NM, Day D. A potential role for the dermatologist in the physical transformation of transgender people: a survey of attitudes and practices within the transgender community. J Am Acad Dermatol. 2016;74(2):303-308.
3. Bass LS. Injectable filler techniques for facial rejuvenation, volumization, and augmentation. Facial Plast Surg Clin North Am. 2015;23(4):479-488.
4. Sobanko JF, Dai J, Gelfand JM, Sarwer DB, Percec I. Prospective cohort study investigating changes in body image, quality of life, and self-esteem following minimally invasive cosmetic procedures. Dermatol Surg. 2018;44(8):1121-1128).
5. Wylie K, Knudson G, Khan SI, et al. Serving transgender people: clinical care considerations and service delivery models in transgender health. Lancet. 2016;388(10042):401-411.
6. Styperek A, Bayers S, Beer M, Beer K. Nonmedical grade injections of permanent fillers: medical and medicolegal considerations. J Clin Aesthet Dermatol. 2013;6(4):22-29.
7. Hage JJ, Kanhai RC, Oen AL, et al. The devastating outcome of massive subcutaneous injection of highly viscous fluids in male-to-female transsexuals. Plast Reconstr Surg. 2001;107(3):734-741.
8. Behar TA, Anderson EE, Barwick W J, Mohler J L. Sclerosing lipogranulomatosis: a case report of scrotal injection of automobile transmission fluid and literature review of subcutaneous injection of oils. Plast Reconstr Surg. 1993;91(2):352-361.
9. Aguayo-Romero RA, Reisen CA, Zea MC, et al. Gender affirmation and body modification among transgender persons in Bogotá, Colombia. Int J Transgend. 2015;16(2):103-115.
10. Wallace PM, Rasmussen S. Analysis of adulterated silicone: implications for health promotion. Int J Transgenderism. 2010;12(3):167-175.
11. Murariu D, Holland MC, Gampper TJ, Campbell CA. Illegal silicone injections create unique reconstructive challenges in transgender patients. Plast Reconstr Surg. 2015;135(5):932e-933e.
12. Ousterhout DK. Facial Feminization Surgery: A Guide for the Transgendered Woman. Omaha, Nebraska: Addicus Books; 2009. 16. Deschamps-Braly JC. Facial gender confirmation surgery: facial feminization surgery and facial masculinization sur-gery. Clin Plast Surg. 2018;45(3):323-331.
13. Morrison SD, Vyas KS, Motakef S, et al. Facial feminization: systematic review of the literature. Plast Reconstr Surg. 2016;137(6):1759-1770.
14. Ginsberg B A. Dermatologic care of the transgender patient. Int J Womens Dermatol. 2017;3(1):65-67.
15. Whitaker L A, Morales L Jr., Farkas L G. Aesthetic surgery of the supraorbital ridge and forehead structures. Plast Reconstr Surg. 1986;78(1):23-32.
16. Springer IN, Zernial O, Nölke F, et al. Gender and nasal shape: measures for rhinoplasty. Plast Reconstr Surg. 2008;121(2):629-637.
17. Popenko NA, Tripathi PB, Devcic Z, et al. A quantitative approach to determining the ideal female lip aesthetic and its effect on facial attractive-ness. JAMA Facial Plast Surg. 2017;19(4):261-267.
18. Haworth RD. Customizing perioral enhancement to ob-tain ideal lip aesthetics: combining both lip voluming and reshaping procedures by means of an algorithmic approach. Plast Reconstr Surg. 2004;113(7):2182-2193.
19. Moradi A, Watson J. Current concepts in filler injection. Facial Plast Surg Clin North Am. 2015;23(4):489-494.

20. Cohen BE, Bashey S, Wysong A. Literature review of cosmetic procedures in men: approaches and techniques are gender specific. Am J Clin Dermatol. 2017;18(1):87-96.
21. Youn SH, Seo KK. Filler rhinoplasty evaluated by anthropometric analysis. Dermatol Surg. 2016;42(9):1071-1081.
22. de Maio M, Swift A, Signorini M, Fagien S. Aesthetic Leaders in Facial Aesthetics Consensus C. Facial assessment and injection guide for botulinum toxin and injectable hyaluronic acid fillers: focus on the upper face. Plast Reconstr Surg. 2017;140(2):265e-276e.
23. Monheit GD, Prather CL. Hyaluronic acid fillers for the male patient. Dermatol Ther. 2007;20(6):394-406.
24. Jasin ME. Nonsurgical rhinoplasty using dermal fillers. Facial Plast Surg Clin North Am. 2013;21(2):241-252.
25. Flynn TC. Update on botulinum toxin. Semin Cutan Med Surg. 2006;25(3):115-121.
26. Janssen I, Heymsfield SB, Wang ZM, Ross R. Skeletal muscle mass and distribution in 468 men and women aged 18-88 yr. J Appl Physiol (1985). 2000;89(1):81-88.
27. Carruthers J, Fagien S, Matarasso SL. Botox Consensus Group. Consensus recommendations on the use of botulinum toxin type a in facial aesthetics. Plast Reconstr Surg. 2004;114(6):1S-22S.
28. Carruthers JD, Glogau RG, Blitzer A. Facial Aesthetics Consensus Group Faculty. Advances in facial rejuvenation: botulinum toxin type a, hyaluronic acid dermal fillers, and combination therapies–consensus recommendations. Plast Reconstr Surg. 2008;121(5):5S-30S.
29. Brandt F, Swanson N, Baumann L, Huber B. Randomized placebo-controlled study of a new botulinum toxin type a for treatment of glabellar lines: efficacy and safety. Dermatol Surg. 2009;35(12):1893-1901.
30. Nestor M, Ablon G, Pickett A. Key parameters for the use of AbobotulinumtoxinA in aesthetics: onset and duration. Aesthet Surg J. 2017;37(1):S20-S31.
31. Rappl T, Parvizi D, Friedl H, et al. Onset and duration of effect of incobotulinumtoxinA, onabotulinumtoxinA, and abobotulinumtoxinA in the treatment of glabellar frown lines: a randomized, double-blind study. Clin Cosmet Investig Dermatol. 2013;6:211-219.
32. Schlessinger J, Monheit G, Kane MA, Mendelsohn N. Time to onset of response of abobotulinumtoxina in the treatment of glabellar lines: a subset analysis of phase 3 clinical trials of a new botulinum toxin type A. Dermatol Surg. 2011;37(10):1434-1442.
33. Sjöström L, Smith U, Krotkiewski M, Björntorp P. Cellularity in different regions of adipose tissue in young men and women. Metabolism. 1972;21(12):1143-1153.
34. Ascha M, Swanson MA, Massie JP, et al. Nonsurgical Management of Facial Masculinization and Feminization. Aesthet Surg J. 2019;39(5):NP123-NP137.
35. Espinosa J, Valencia DP. Management of the neck in thick skinned patients. Facial Plast Surg. 2013;29(3):214-224.
36. de Maio M. Ethnic and gender considerations in the use of facial injectables: male patients. Plast Reconstr Surg. 2015;136(5):40S-43S.
37. Scherer MA. Specific aspects of a combined approach to male face correction: botulinum toxin A and volumetric fillers. J Cosmet Dermatol. 2016;15(4):566-574.
38. Mommaerts MY. The ideal male jaw angle - an internet survey. J Craniomaxillofac Surg. 2016;44(4):381-391.
39. Ousterhout DK. Dr. Paul Tessier and facial skeletal masculinization. Ann Plast Surg. 2011;67(6):S10-S15.
40. Binder WJ, Dhir K, Joseph J. The role of fillers in facial implant surgery. Facial Plast Surg Clin North Am. 2013;21(2):201-211.
41. Sykes JM, Fitzgerald R. Choosing the best procedure to augment the chin: is anything better than an implant? Facial Plast Surg. 2016;32(5):507-512.
42. Belmontesi M, Grover R, Verpaele A. Transdermal injection of Restylane SubQ for aesthetic contouring of the cheeks, chin, and mandible. Aesthet Surg J. 2006;26(1S):S28-S34.
43. Braz A, Humphrey S, Weinkle S, et al. Lower face: clinical anatomy and regional approaches with injectable fillers. Plast Reconstr Surg. 2015;136(5):235S-257S.

44. Fedok FG, Mittelman H. Augmenting the prejowl: deciding between fat, fillers, and implants. Facial Plast Surg. 2016;32(5):513-519.
45. Deschamps-Braly JC, Sacher CL, Fick J, Ousterhout D K. First female-to-male facial confirmation surgery with description of a new procedure for masculinization of the thyroid cartilage (Adam's Apple). Plast Reconstr Surg. 2017;139(4):883e-887e.
46. Whitaker LA. Aesthetic contouring of the facial support system. Clin Plast Surg. 1989;16(4):815-823.
47. Mitteroecker P, Windhager S, Müller GB, Schaefer K. The morphometrics of "masculinity" in human faces. PLoS One. 2015;10(2):e0118374.
48. Hage JJ, Becking AG, de Graaf FH, Tuinzing DB. Gender confirming facial surgery: considerations on the masculinity and femininity of faces. Plast Reconstr Surg. 1997;99(7):1799-1807.
49. Kurkjian TJ, Ahmad J, Rohrich RJ. Soft-tissue fillers in rhinoplasty. Plast Reconstr Surg. 2014;133(2):121e-1 26e.
50. Flynn TC. Botox in men. Dermatol Ther. 2007;20(6):407-413.

CIRURGIA CRANIOMAXILOFACIAL NA AFIRMAÇÃO DO GÊNERO

Mariana Wilberger Furtado Marino

INTRODUÇÃO

As características faciais são determinantes na diferenciação entre gêneros, e a face, por sua visualização e exposição constante, é a principal marca individual de representatividade na socialização e integração à comunidade.

Cirurgias craniomaxilofacias constituem uma etapa na afirmação de gênero e na maioria das vezes são os primeiros procedimentos realizados, impactando inclusive em modelos de reconhecimento facial por redes neurais artificiais, importantes em uma sociedade que cada vez mais utiliza ferramentas de inteligência artificial.[1-4]

Antigamente as cirurgias para afirmação de gênero eram citadas como cirurgia para feminilização facial, termo que está em desuso por não abranger também as cirurgias de masculinização. Elas são descritas desde o final da década de 1980 e, nos últimos anos, observou-se um aumento no número de publicações sobre o tema. Mesmo assim, ainda não há um consenso estabelecido sobre quais procedimentos seriam indicados, quais pacientes seriam mais beneficiados e qual seria a técnica cirúrgica ideal. Nestas situações, a experiência do cirurgião, as condições clínicas do paciente, o tratamento prévio com hormonoterapia e as expectativas quanto ao resultado são fatores a serem avaliados na escolha dos procedimentos indicados.

Apesar do aumento dos relatos e trabalhos sobre o tema, não há ainda como determinar o quanto a presença das características faciais masculinas e femininas infere para a afirmação do gênero do indivíduo. Quando há detalhada análise clínica e correta indicação de procedimentos, observadas as exigências legais e protocolares para a cirurgia, o nível de satisfação dos pacientes é geralmente alto.

O atual capítulo tem como propósito a avaliação das diferenças faciais entre os gêneros e a descrição dos procedimentos cirúrgicos craniomaxilofaciais mais comumente realizados para a afirmação de gênero.[3,5-11]

CONSIDERAÇÕES INICIAIS

A diversidade humana facial é percebida não somente pelo gênero, mas também de acordo com etnia, idade e biotipo dos pacientes. A harmonia faz parte do objetivo cirúrgico, respeitando as características individuais dos pacientes.

Os hormônios sexuais, principalmente a testosterona, agem a partir da puberdade e determinam características sexuais faciais primárias e secundárias.

Dentre as primárias, temos determinações estruturais, esqueléticas, como as que predispõem os ossos frontais e mandibulares mais evidentes no gênero masculino, assim como alterações na cartilagem tireóidea, que não são revertidas com hormonoterapia, necessitando de procedimentos cirúrgicos para sua modificação quando já estão desenvolvidos na mulher trans.

Já para homens trans, a utilização da testosterona pode, com o tempo, promover essas alterações primárias, gerando uma face com caráter mais masculino.

Dentre as características sexuais secundárias, mais comumente alteradas com a hormonoterapia, temos a textura da pele, a implantação e a densidade capilar, pelos faciais e a distribuição de coxins gordurosos na face. Por conta das modificações alcançadas com a hormonoterapia, é preferível a realização de cirurgias de afirmação de gênero após um período de no mínimo 12 meses de hormonoterapia, para que estas ações já estejam consolidadas.[3,7]

A avaliação facial individualizada, baseada em um detalhado estudo anatômico, exames de imagens e registro fotográfico, aponta características faciais que contribuem para a identificação de gênero, e podem ser modificadas com procedimentos cirúrgicos. Esta avaliação visa à manutenção da proporcionalidade e simetria do rosto como um todo, adequando essas características também ao biotipo dos pacientes. As características que definem o quanto um rosto é feminino ou masculino não são universais e absolutas, nem definem a beleza. Entretanto, esses parâmetros podem servir como um guia para a tomada de decisões, permitindo a afirmação de gênero.[3,5,7]

Dentre as características avaliadas estão dentição, oclusão, plano oclusal e ortodontia prévia, que pode mascarar uma maloclusão dentária, cuja correção pode influenciar no perfil facial. Uma retrognatia ou micrognatia mandibular pode parecer benéfica numa mulher trans, e ser fonte de desarmonia num homem trans. A atresia maxilar proporciona um menor volume no terço médio da face, evidenciando a mandíbula e o terço inferior da face, deixando um aspecto mais masculino.[11]

As condições médicas gerais devem ser observadas antes da realização da cirurgia de afirmação de gênero. A terapia hormonal com uso de estrogêneos geralmente é interrompida previamente à cirurgia, por cerca de 2 semanas, visando a reduzir um potencial risco tromboembólico.[5,10]

Além da avaliação clínica e anatômica da face, a avaliação psicológica dos candidatos à cirurgia é fundamental. Ela precisa determinar quais características faciais que o paciente considera não serem condizentes com seu gênero, as expectativas das possíveis alterações, se essas são realísticas com o que é proposto cirurgicamente, as implicações do manejo pós cirúrgico e o quanto essas modificações podem impactar na satisfação com o resultado final. O esclarecimento de toda dúvida também deve fazer parte da relação entre paciente e a equipe médica.[10]

CARACTERÍSTICAS FACIAIS LIGADAS AO GÊNERO
Face Masculina
Em uma análise geral, a face masculina apresenta um formato quadrangular, destacando-se as proeminências zigomáticas e ângulos mandibulares.

Avaliando o terço superior, observa-se que a linha de implantação capilar masculina é mais alta, principalmente na região temporal. O osso frontal masculino tem maior altura e volume, a custas também de um seio frontal mais pneumatizado, criando um perfil não linear, com uma maior curvatura superior e uma glabela que se projeta anteriormente, formando um ângulo nasofrontal mais agudo. Os arcos superciliares volumosos, formam muitas vezes uma proeminência, com supercílios de formato linear, que contribuem para o reconhecimento de características masculinas, assim como um nariz mais largo e reto.

No terço médio, a proeminência zigomática é maior e de maior largura no rosto masculino, porém com uma superfície mais lisa, menos proeminente que a feminina.

No terço inferior, os lábios são mais finos e longos no homem. A mandíbula masculina é maior, mais alta, larga e espessa, com uma altura do corpo mandibular maior, especialmente na sínfise. Os ângulos mandibulares são bem definidos, marcando a transição entre o ramo e o corpo mandibular. O mento masculino tem uma dimensão vertical maior e geralmente um perfil mais proeminente, e o formato mais angulado, devido a presença de eminências mentonianas bem definidas bilateralmente.[5,9]

Face Feminina

O rosto feminino é mais arredondado, com formato mais semelhante a um triângulo invertido, cuja base são as proeminências zigomáticas e o mento é o ápice.

A linha de implantação capilar é mais densa e lisa, cerca de 1 cm inferior à masculina. A fronte feminina tem uma curvatura suave, formando um ângulo nasofrontal mais obtuso. O supercílio feminino tem maior curvatura que o masculino, com elevação principalmente no terço lateral, situando-se acima do rebordo orbitário superior. Apesar de ter uma altura orbitária menor, o rebordo orbitário é maior na face feminina, e seu contorno é menos pronunciado.

A proeminência zigomática feminina, embora de menor volume, apresenta um formato mais projetado, e associado ao aumento do volume de tecidos moles, conferindo um destaque arredondado para a região, em contraste com a mandíbula, que normalmente apresenta um volume menor. O nariz feminino é habitualmente menor, fino e com ligeira concavidade no dorso.

O lábio superior é mais curto e com maior volume, evidenciando o vermelhão, e com a formação de um arco do cupido bem delimitado. O ângulo mandibular feminino é geralmente mais delicado, suavizando a transição entre o corpo e o ramo mandibular. O mento feminino é habitualmente menor, e apresenta uma protuberância mentoniana suave, favorecendo um formato mais arredondado (Fig. 13-1).[5,9]

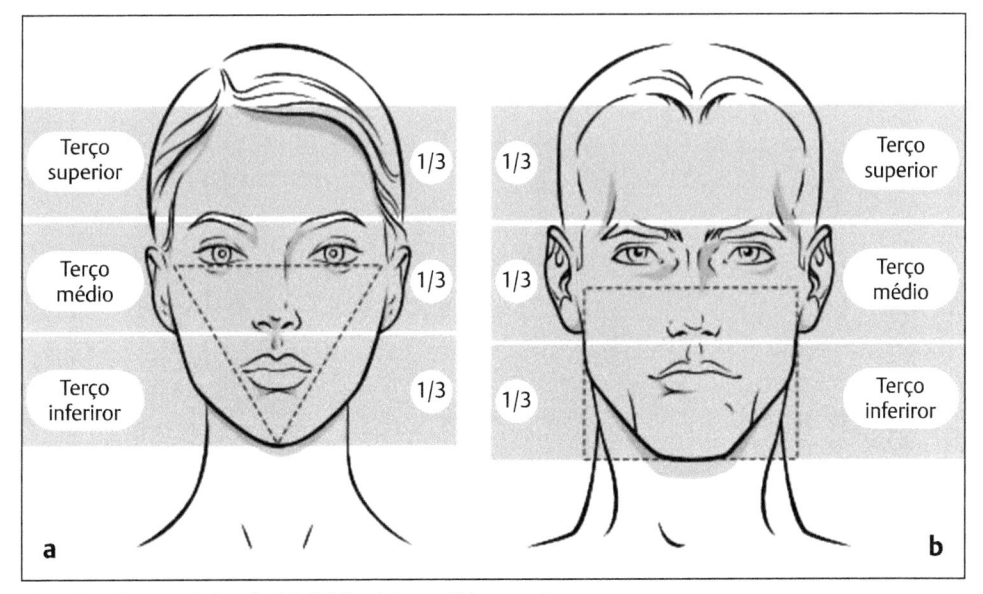

Fig. 13-1. Características faciais (**a**) femininas e (**b**) masculinas.

PLANEJAMENTO CIRÚRGICO

Uma completa e detalhada avaliação facial é fundamental para verificar quais características não são condizentes com o gênero do paciente, e quais procedimentos proporcionam a adequação.

Exames de imagens e o registro de imagens fotográficas do paciente permitem um melhor planejamento dos procedimentos, e a simulação de resultados que contribuem para a tomada da decisão cirúrgica. É importante a avaliação das características antropométricas, étnicas, etárias, a harmonia dos terços faciais e incluir as preferências do paciente.

A telerradiografia de perfil, aliada à cefalometria, evidencia o perfil do paciente, características dos ossos faciais e as relações do seu posicionamento à base do crânio. Sua avaliação permite verificar as medidas que se compõem os padrões faciais masculino ou feminino. Também possibilita a avaliação das relações entre os maxilares, contribuindo para a indicação da realização da cirurgia ortognática.

A radiografia panorâmica de mandíbula possibilita a avaliação de estruturas como o mento, os ângulos mandibulares, o canal mandibular e o posicionamento do forame mentual, imprescindível para a realização de procedimentos mandibulares e mentonianos.

O escaneamento digital tridimensional dentário auxilia a realização do planejamento virtual da cirurgia, especialmente se indicada a cirurgia ortognática para reposicionamento dos maxilares.

A tomografia computadorizada da face permite a avaliação das estruturas ósseas, disposição de tecidos moles e posicionamento de estruturas como feixes nervosos. A formação de imagens tridimensionais evidencia as características que podem ser fonte de descontentamento do paciente.

O registro fotográfico padronizado proporciona a avaliação clínica, arquivo e simulação dos resultados possíveis e desejados. Deve ser realizado desde o início do tratamento, antes da realização de qualquer terapia, e principalmente prévio à realização de procedimentos, e no acompanhamento pós-cirúrgico, tanto imediato quanto de longo prazo. O uso de imagens tridimensionais, que vêm se tornando mais acessíveis, auxilia a realização do planejamento virtual.

Com as imagens da tomografia e a junção com registro fotográfico, é possível a realização do planejamento virtual da cirurgia, determinando o posicionamento de osteotomias, implantes e a confecção de moldes cirúrgicos de impressão tridimensional, que auxiliam a realização dos procedimentos e a garantia de alcançar os resultados desejados.

O avanço tecnológico tem permitido cada vez mais a proximidade da simulação e do planejamento virtual com os resultados obtidos, dando maior precisão aos procedimentos cirúrgicos e possibilitando alcançar tanto a estética quanto a beleza desejada na cirurgia de afirmação de gênero, com maior satisfação dos pacientes e cirurgiões.[7,10,12]

PROCEDIMENTOS

Dentre os procedimentos para a afirmação de gênero encontram-se frontoplastia, avanço de linha de cabelo, implantes capilares, osteoplastia orbitária, suspensão de supercílio, blefaroplastia superior, osteotomias e implantes zigomáticos, elevação do lábio superior e osteoplastia mandibular que pode também incluir a mentoplastia.

Quando presentes alterações oclusais, as cirurgias ortognáticas como osteotomia maxilar ou sagital mandibular podem ser realizadas, contribuindo com o resultado final desejado e corrigindo uma alteração funcional existente.[11]

Outros procedimentos, como a rinoplastia e a tireoplastia são abordados em outros capítulos deste livro.

CIRURGIA DE FEMINIZAÇÃO FACIAL
Cirurgias do Terço Superior da Face

A feminização do terço superior facial pode ser abordada por frontoplastia, elevação do supercílio e blefaroplastia.

Para diminuição do volume e da projeção da tábua externa frontal, desejada na cirurgia de uma mulher trans, pode ser realizado o remodelamento da região por osteoplastia ou osteotomia.

Pioneiro na cirurgia de afirmação de gênero, Ousterhout classifica os ossos frontais em três grupos, utilizando imagens do osso e seio frontal, obtidas por tomografia computadorizada:

- *Grupo I*: apresenta mínima ou moderada projeção e grande espessura óssea, com um volume discreto de seio frontal. Nesse grupo, é possível a realização de osteoplastia de contorno;
- *Grupo II*: apresenta espessura óssea menor, ou volume maior de seio frontal e a osteoplastia pode não ser suficiente, podendo ser indicada a osteotomia para reposicionamento;
- *Grupo III*: apresenta uma menor espessura óssea e um maior volume do seio frontal. É indicada a realização de osteotomia e remodelamento e o reposicionamento da tábua externa, por excesso de projeção.[5,6,13]

Frontoplastia

Na frontoplastia redutora, o acesso coronal é utilizado, e o local da incisão pode permitir o avanço da linha de implante capilar, quando indicado.

Se não há indicação de reposicionamento da linha de implante capilar, a incisão é realizada habitualmente a cerca de 4 a 5 mm posterior à linha de implante capilar.

Quando a altura da implantação capilar estiver aumentada, a ressecção de parte de pele da região frontal possibilita o avanço da linha de implantação capilar. A incisão tricofítica, posicionada na linha de implantação inicial dos folículos, com a inclinação da lâmina no sentido do crescimento dos folículos é indicada.

A programação das incisões permite avançar a linha de implantação capilar entre 1,5 e 2,5 cm, corrigindo o posicionamento mais posterior na região temporal e contribuindo para a elevação do supercílio.[5,7,14]

Há o descolamento posterior de parte do escalpo, para permitir seu avanço e anteriormente é realizado o descolamento subperiosteal e exposição frontal, na região central. A exposição avança lateralmente, incluindo o processo frontal do zigomático e o rebordo orbitário superior, com preservação dos nervos supraorbitários.

Se a espessura da tábua externa do frontal for superior a 5 mm, com uma curvatura não acentuada e o seio frontal de menor volume ou ausente, a osteoplastia com uso de brocas é suficiente para alcançar a redução da projeção frontal desejada. Ocorre, assim também, a redução da protuberância lateral do rebordo orbitário, da protuberância superior frontal e do arco superciliar. A transição nasofrontal é abordada, gerando um ângulo nasofrontal menos agudo, desejado na mulher trans.[5,6,15]

A presença de uma tábua externa do frontal de menor espessura, associado a um volume maior de seio frontal indica a osteotomia da tábua externa do osso frontal, seu remodelamento e reposicionamento posterior.

É realizada osteotomia da tábua externa do osso frontal, com utilização de brocas de menor espessura, ou preferencialmente de osteótomo ultrassônico, com remoção da porção mais projetada do osso.

Com descolador delicado, é separada a tábua óssea da mucosa do seio frontal. O fragmento ósseo é modelado e posteriormente posicionado e fixado, numa posição posterior à original, com utilização de miniplacas de fixação interna ou uso de tela, sendo preferíveis as de menor espessura compatível (a partir de 1,2 mm) quando de titânio ou reabsorvíveis.

A sutura da incisão pode ser realizada com fio monofilamentar 3.0, se coronal, ou 5.0, se incisão tricofítica.

O acesso endoscópico pode ser utilizado na frontoplastia, quando não há indicação de alteração da linha de implante capilar, e a espessura da tábua externa do osso frontal for maior que 5 mm. Esta abordagem permite a osteoplastia com uso de brocas e a realização conjunta de elevação do supercílio, oferecendo uma opção conservadora de acesso e menores complicações.[16]

Dentre as complicações possíveis, observa-se alopecia, consolidação incompleta de osteotomias, infecção, fraturas, perda óssea e mucocele (Fig. 13-2).[3,13]

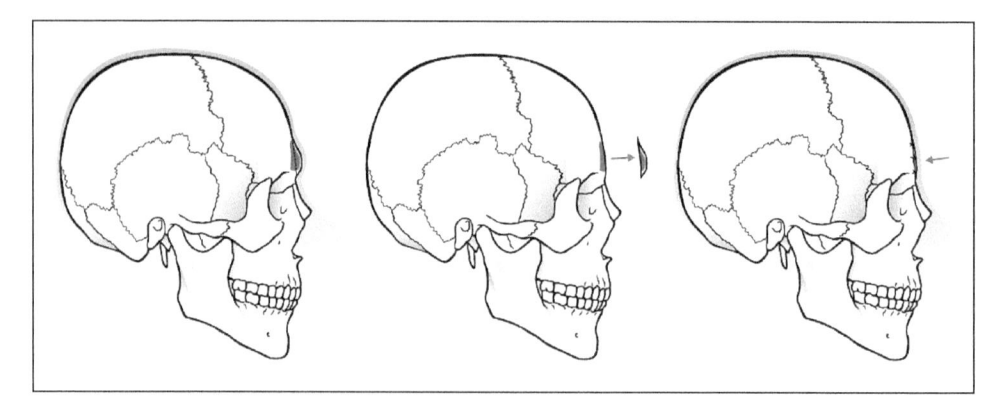

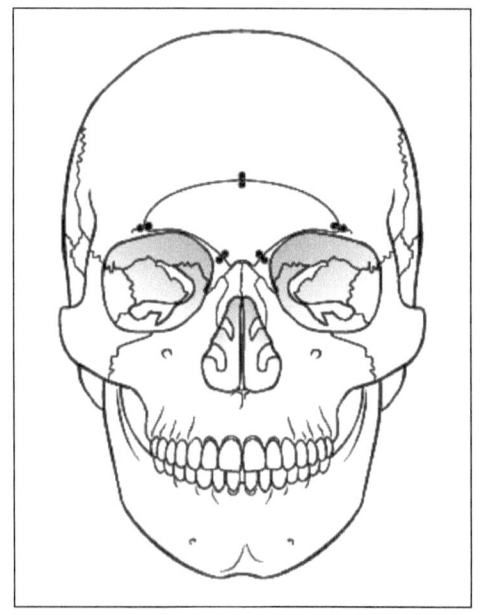

Fig. 13-2. Sequência mostrando frontoplastia redutora com osteotomia e fixação posterior da tábua externa do osso frontal.

Elevação de Supercílio

O supercílio feminino localiza-se acima do rebordo orbitário e possui uma elevação lateral. Já o supercílio masculino localiza-se no nível do rebordo, e apresenta uma menor curvatura.

A elevação de supercílio pode ser indicada na cirurgia de afirmação de gênero da mulher trans, sendo realizada associada à frontoplastia redutora e à blefaroplastia superior.

O acesso pode ser realizado pela via coronal, mesma utilizada para a frontoplastia redutora, quando há indicação da sua realização. Alternativas são o acesso endoscópico, como na frontoplastia endoscópica ou acesso inferior, utilizando a incisão da blefaroplastia superior.[5,16]

Blefaroplastia

A altura de cada órbita e características palpebrais diferem entre os gêneros e entre as etnias. Estudos antropométricos sugerem que olhos maiores e uma fissura palpebral maior podem ser mais atraentes em mulheres.

A blefaroplastia da pálpebra superior, com a técnica habitual do cirurgião, pode ser realizada para ressecar tecidos em excesso e feminilizar a pálpebra superior, principalmente se esta apresentar uma prega tarsal mais baixa.

A fissura palpebral deve ter uma inclinação e o canto lateral deve medir aproximadamente 2 a 3 mm mais alto do que o canto medial. Uma cantoplastia lateral, com técnica habitual do cirurgião, pode ser realizada para aumentar a fissura palpebral e aumentar o ângulo cantal, produzindo um aspecto mais atraente de olho amendoado.[5,13]

Cirurgias do Terço Médio da Face

O contorno facial depende da arquitetura esquelética do rosto, mas é igualmente determinado pelas estruturas de tecidos moles. No terço médio da face, é perceptível a relação entre os tecidos. O aumento da projeção zigomática pode ser alcançado com implantes heterólogos, osteotomias e reposicionamento zigomático, lipoenxertia autóloga e preenchedores.

Há uma grande variedade desses implantes, de inúmeros formatos e materiais, e muitos ainda podem ser remodelados, permitindo uma melhor adaptação ao local, com resultados favoráveis. Tradicionalmente, há maior utilização de implantes heterólogos de silicone, hidroxiapatita ou polietileno poroso de alta densidade. Existe ainda a possibilidade de implante de osso autólogo. Na escolha do melhor material indicado, deve-se considerar a experiência do cirurgião com o uso desses materiais, assim como os formatos, os ganhos e as possíveis complicações envolvidas.

Após a infiltração do local com anestésico, a incisão intraoral permite a dissecção subperiosteal do osso zigomático, incluindo arco zigomático, do tamanho para receber o implante. A simetria entre os lados deve ser observada, e após correto posicionamento, os enxertos são fixados. Para fixação, são utilizados parafusos de titânio 2.0, pelo menos dois em cada enxerto, para evitar deslocamentos ou rotação. A incisão é fechada com fios 3.0 absorvíveis.[5,13]

A lateralização e o aumento de projeção zigomática podem ser alcançados com osteotomia lateral do zigomático, com interposição de enxerto de hidroxiapatita ou osso autólogo, entre os fragmentos zigomáticos. Nesta técnica, após infiltração do local com anestésico, faz-se a incisão intraoral com dissecção subperiosteal do zigoma, incluindo arco zigomático, até o limite inferior do rebordo orbitário. Uma osteotomia vertical é realizada na porção lateral do osso zigomático, próxima do rebordo orbitário. Outra osteotomia, horizontal, é realizada desde a junção do arco zigomático até a primeira osteotomia. Com uso de um afastador ósseo, há separação da porção lateral do osso zigomático, e no espaço entre os fragmentos ósseos é posicionado o enxerto.[17,18]

Quando presente deficiência maxilar, é indicada a osteotomia LeFort para avanço maxilar, e a osteotomia lateral zigomática pode potencializar o ganho da projeção do terço médio da face.

Enxertia de gordura autóloga ou preenchedores têm a vantagem de ser de mais fácil execução e, nos últimos anos, têm-se tornado excelentes opções para aumento de volume do terço médio, em especial da projeção malar. Embora sejam procedimentos não definitivos, a possibilidade de repetição das aplicações permite uma satisfação em longo prazo.[3]

Complicações descritas nas cirurgias do terço médio da face incluem: migração dos enxertos, mau posicionamento dos implantes, extrusão, assimetrias, parestesia infraorbitária e infecções.[3]

Cirurgias do Terço Inferior da Face

Suspensão Labial (Lip Lifting)

A altura do lábio superior, observada pela distância da base nasal até a borda vermelha do lábio superior, é maior nos homens do que nas mulheres. As mulheres têm também uma maior exposição dentária superior em repouso. A diminuição da altura do lábio pode ser obtida pela ressecção de parte do excesso de pele abaixo da base nasal. Adicionalmente, o perfil pode ganhar uma curva suave. Deve ser observado o histórico de cicatrização do paciente, evitando a realização em pacientes com história de cicatrização hipertrófica ou formação de queloides.

Após a anestesia local, é excisada uma elipse cutânea, de até um quarto da altura labial, imediatamente abaixo da base nasal, não ultrapassando lateralmente a implantação das asas nasais. Se associada à rinoplastia aberta, a incisão para o acesso nasal deve coincidir com a incisão superior da suspensão labial. Após a hemostasia, a incisão é suturada com fio 5.0 monofilamentar.[3,5,13]

Aumento do Volume Labial

Para aumentar o volume labial e a exposição do vermelhão, muitas são as opções de tratamento. O ácido hialurônico injetável é comumente aplicado, mas fornece resultados temporários. Lipoenxertia autóloga e implante de derme fornecem resultados mais permanentes, porém apresentam taxas de sucesso variáveis. Material aloplástico, como enxerto dérmico acelular e implantes de silicone também podem ser utilizados. Dentre as complicações, observam-se irregularidades palpáveis, supercorreção de volume, infecções e extrusão de implantes.[3,5,13]

Osteoplastia Mandibular

A mandíbula desempenha um papel fundamental na determinação de características faciais femininas ou masculinas. Durante a avaliação inicial, deve-se observar a proeminência, amplitude e ângulo mandibular, o volume massetérico, a projeção e angularidade do mento. Os tecidos moles e a região cervical também devem ser observados, como a presença de rítides, linhas de expressão e as bandas platismais, que se relacionam com a estrutura óssea mandibular e podem sofrer alterações com a cirurgia da mandíbula.

Na mulher trans, a diminuição do ângulo mandibular permite uma modificação no formato do rosto, deixando-o mais triangular, podendo ainda ser associado à mentoplastia.

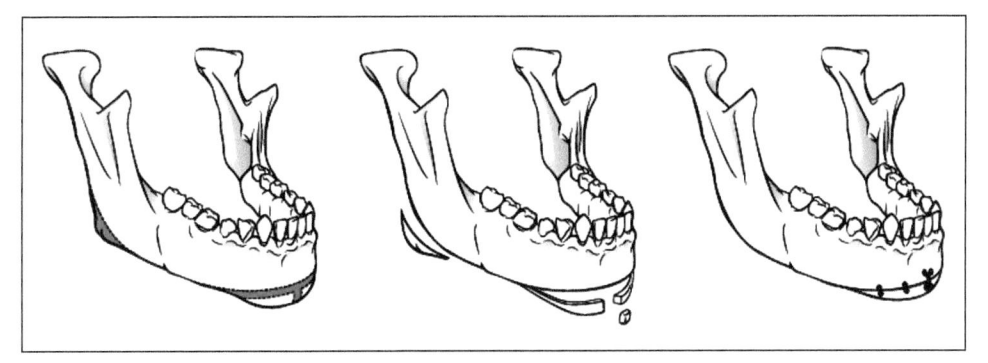

Fig. 13-3. Osteoplastia de ângulo mandibular redutora associada a mentoplastia.

Pode ser realizada osteoplastia de todo o contorno mandibular. As osteotomias são indicadas quando há necessidade de ressecções maiores das porções ósseas.

Com uma incisão intraoral, expõe-se ramo e corpo da mandíbula. Realiza-se descolamento subperiosteal do ramo e corpo mandibular, incluindo o ângulo e a liberação da musculatura massetérica. Há a remoção, com uso de brocas, de parte do osso cortical externo mandibular, do corpo e principalmente em ângulo, gerando um contorno mais suave. Deve ser observada a preservação do canal mandibular e raízes dentárias, evitando complicações. A hipertrofia muscular massetérica significativa pode ser corrigida com a ressecção de parte do músculo masseter. Após a realização da osteoplastia, a incisão deve ser suturada com fios absorvíveis 3.0. Complicações incluem: dor, edema importante e parestesia mandibular, com remissão habitual em até 6 meses (Fig. 13-3).[5,10,19,20]

Mentoplastia

A mentoplastia é um procedimento de grande versatilidade, permitindo alterações na altura, projeção e largura do mento. A avaliação pré-cirúrgica permite planejar o movimento desejado, avaliar a necessidade de ressecção óssea e programar as osteotomias, minimizando as complicações.[12]

A incisão utilizada é intraoral, na mucosa vestibular, entre os primeiros molares inferiores bilateralmente, quando a mentoplastia é realizada isoladamente. Após a dissecção por planos e descolamento do periósteo até a borda da mandíbula, há exposição de todo o mento, e dos forames mentuais. Para a realização das osteotomias podem ser utilizados serra reciprocante ou osteótomo ultrassônico. Uma osteotomia basilar horizontal, situada a 5 mm abaixo dos forames mentuais, permite a abordagem da dimensão vertical do mento.

Quando indicada a diminuição da altura mentoniana, pode ser removido um fragmento ósseo horizontal, obtido a partir de duas osteotomias horizontais paralelas. Deve-se preservar o mínimo de 5 milímetros abaixo dos forames mentonianos e de 1 a 1,5 centímetros de segmento distal. Inicialmente é realizada a osteotomia inferior, separando a porção distal, que vai ser preservada, e em seguida a osteotomia superior, removendo-se o segmento ósseo intermediário.

Se indicada a diminuição da largura do mento, são realizadas duas osteotomias verticais, paramedianas e paralelas, com remoção do fragmento ósseo interposto.

Os fragmentos preservados são posicionados e é realizada a fixação com miniplacas de osteossíntese e parafusos monocorticais, de espessura 2.0. As miniplacas de mentoplastia habitualmente apresentam o formato que já estabelece o avanço programado, em milímetros.

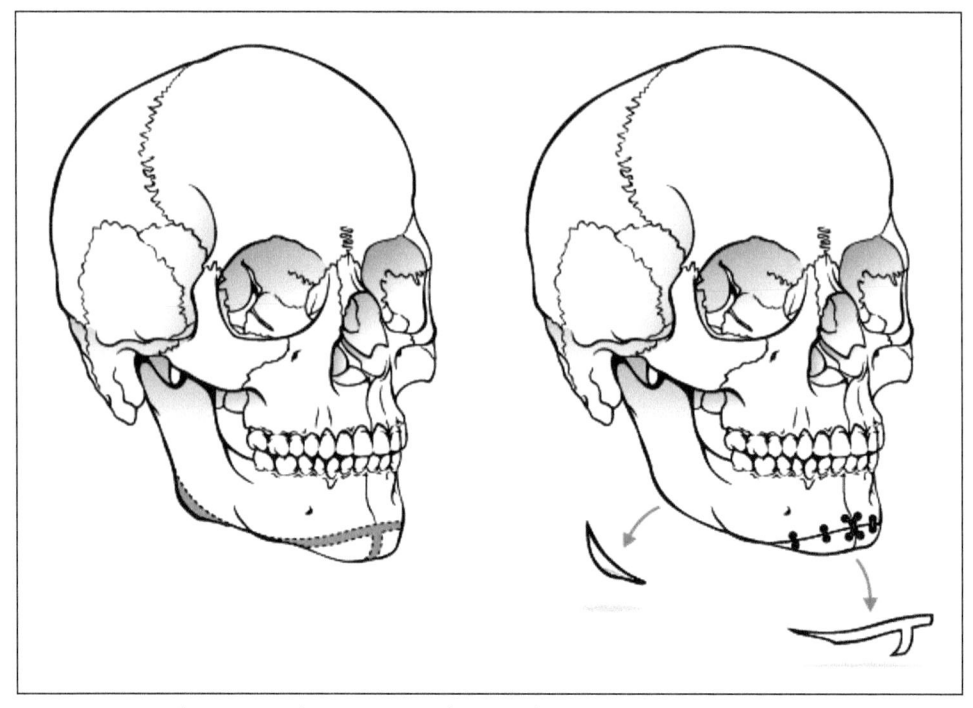

Fig. 13-4. Mentoplastia com redução transversal e vertical.

Após a fixação, uma osteoplastia de contorno, com uso e brocas, é indicada para adequar e suavizar os contornos ósseos e minimizar a palpação de degraus ósseos no pós-operatório. Podem ser inseridos enxertos ósseos particulados, autógenos ou autólogos para auxiliar a consolidação óssea.

Mais recentemente, técnicas cirúrgicas recomendam a osteoplastia de contorno também no mento, sem realização de osteotomias segmentares, como uma continuidade do procedimento já realizado no ângulo mandibular. Essa abordagem é possível quando não é indicada alteração na projeção do mento.[3,7,21]

Entre complicações descritas nas cirurgias de mento, encontra-se: edema, parestesia do mento, infecção, deiscência da musculatura labial e instabilidade da fixação (Fig. 13-4).[19]

CIRURGIA DE MASCULINIZAÇÃO FACIAL
Cirurgias do Terço Superior da Face
A fronte masculina pode ser distinguida da feminina principalmente pela proeminência frontal e arco superciliar projetado.

Embora o terço superior da face não seja frequentemente abordado em homens trans, uma vez que a hormonoterapia pode alterar as características faciais, alguns pacientes podem ser favorecidos com os procedimentos. Para aumento da região, ou remodelamento, diferentes materiais podem ser utilizados como enxerto ósseo autólogo e implantes heterólogos, de polimetilmetacrilato (PMMA) ou hidroxiapatita; ou uso de preenchedores absorvíveis.

Frontoplastia

A partir da incisão coronal e descolamento subperiosteal da região frontal, podem ser aplicados materiais sintéticos diretamente no osso. O material pode ser moldado para aumento da projeção nas áreas determinadas. A fixação do implante é realizada com parafusos de titânio. Implantes autólogos, como osso parietal, é uma opção que evita uso de enxertos heterólogos, mas as taxas de reabsorção óssea e preservação dos resultados a

Complicações observadas na frontoplastia são formação de seromas, cicatriz coronal, alopecia, infecção e necrose óssea.[11,22]

Cirurgias do Terço Médio da Face

O aumento na projeção maxilar determina a percepção de uma face mais masculina. O uso de enxertos e implantes, como no terço superior, também é indicado. Pode ser utilizado hidroxiapatita, que oferece o benefício de promover nova formação óssea. A aplicação é realizada após incisão intraoral, e descolamento do periósteo. As complicações envolvem: irregularidades de contorno, infecção, extrusão dos grânulos e seromas.[23]

A cirurgia ortognática, que inclui a manipulação tridimensional da maxila, pode ser realizada para o avanço maxilar, quando indicada por alterações oclusais, ou do posicionamento dos maxilares. A osteotomia tipo LeFort corrige o posicionamento maxilar e da arcada dentária superior, podendo ser associada ao avanço mandibular, para a correção funcional da oclusão. O uso da cirurgia ortognática facial exclusivamente para a masculinização não é orientado até o momento.[11,23]

Cirurgias do Terço Inferior da Face

Alterações mandibulares são habitualmente realizadas para a masculinização facial, embora poucos estudos avaliem os procedimentos especificamente para afirmação de gênero. As técnicas descritas se aplicavam inicialmente a pacientes cisgêneros.

Osteoplastia Mandibular

Para o aumento do ângulo mandibular e sua projeção lateral podem ser utilizados implantes ou enxertos ósseos. Para implantes, podem ser utilizados materiais como polietileno poroso de alta densidade, silicone ou aplicação de grânulos de hidroxiapatita. Complicações do uso de implantes é principalmente a ocorrência de edema, seroma, irregularidades de contorno e infecções.

Enxertos ósseos autólogos, obtidos da crista ilíaca ou da calota craniana, podem ser posicionados na borda da mandíbula, mas a reabsorção óssea que ocorre nesses casos pode fazer com que o resultado não seja permanente. Pode-se optar pela realização de um enxerto.

Através de incisão intraoral, é realizada a dissecção de parte do ângulo da mandíbula. O enxerto ou implante é posicionado na região do ângulo da mandíbula. No caso do enxerto ósseo interposto, uma osteotomia entre a cortical externa mandibular e a cortical interna é realizada, com uso de serra reciprocante ou osteótomo ultrassônico, posicionado o enxerto entre a camada externa e o osso esponjoso mandibular. Não é realizada a dissecação do músculo masseter lateralmente, para que o mesmo sirva para estabilizar o enxerto, evitando a necessidade de fixação. Após a confirmação do correto posicionamento e simetria dos ângulos mandibulares, é realizada a sutura intraoral com fio absorvível.[10,24]

A cirurgia de avanço mandibular, com osteotomia sagital, aumenta a projeção mandibular. A cirurgia ortognática para avanço mandibular deve ser feita de acordo com a oclusão dentária e o posicionamento maxilar do paciente. A realização de cirurgia ortognática exclusivamente com objetivo de masculinização não foi estudada.

A aplicação de preenchedores e a lipoenxertia pode criar um corpo mandibular robusto e quadrado, desejado para a mandíbula masculina, e também aumentar a projeção do mento. A principal limitação é a permanência dos resultados a longo prazo.[11]

Mentoplastia

Para a masculinização do mento, habitualmente é necessário o aumento das dimensões do mesmo.

O uso de implantes aloplásticos, de silicone ou polietileno poroso de alta densidade pode ser considerado. A inserção do implante permite o aumento da largura e/ou da projeção do mento, porém sem ganho adequado da dimensão vertical.

O implante pode ser posicionado por meio de uma incisão externa ou intraoral. O acesso externo é realizado com uma incisão submentoniana, posicionada 2 mm atrás da prega submentoniana. Após a dissecção dos planos, há descolamento subperiosteal, com cuidado para preservar os nervos mentonianos. Os implantes são colocados no plano subperiosteal lateralmente e supraperiosteal centralmente, para minimizar a erosão óssea. A fixação do implante idealmente é realizada com parafuso monocortical.

A mentoplastia, com osteotomia basilar, oferece mais opções e flexibilidade para posicionar o mento. Pode utilizar a incisão da osteoplastia mandibular, ou fazer uma incisão isolada intraoral, quando é o único procedimento a ser realizado. Há o descolamento subperiosteal da sínfise, com cuidado, para evitar danos aos nervos mentonianos. A osteotomia horizontal é realizada a partir de 5 mm abaixo do forame mentual. Para o aumento da altura do mento, a fixação da osteotomia, com o espaço ósseo planejado, é suficiente. Uma segunda osteotomia, vertical, é realizada na linha média para o aumento da largura mandibular. A separação dos segmentos ósseos e sua fixação, com uso de placas e parafusos de titânio, 2.0, permite o ganho de projeção e largura do mento. Enxertos ósseos autólogos ou materiais como a hidroxiapatita podem ser posicionados entre os segmentos ósseos.

Uma abordagem menos invasiva envolve o uso de preenchedores e a transferência de gordura ao longo do queixo para aumentar a largura e a projeção da parte inferior da face; no entanto, os resultados podem ser imprevisíveis a longo prazo.[10,11,20]

REFERÊNCIAS BIBLIOGRÁFICAS

1. Ginsberg BA, Calderon M, Seminara NM, Day D. A potential role for the dermatologist in the physical transformation of transgender people: A survey of attitudes and practices within the transgender community. J Am Acad Dermatol. 2016;74(2):303-8.
2. Morrison SD, Crowe CS, Wilson SC. Consistent quality of life outcome measures are needed for facial feminization surgery. J Craniofac Surg. 2017;28(3):851-2.
3. Juszczak HM, Fridirici Z, Knott PD, et al. An update in facial gender confirming surgery. Curr Opin Otolaryngol Head Neck Surg. 2019;27(4):243-52.
4. Chen K, Lu SM, Cheng R, et al. Facial recognition neural networks confirm success of facial feminization surgery. Plast Reconstr Surg. 2020;145(1):203-9.
5. Altman K. Facial feminization surgery: current state of the art. Int J Oral Maxillofac Surg. 2012;41(8):885-94.
6. Ousterhout DK. Feminization of the forehead: contour changing to improve female aesthetics. Plast Reconstr Surg. 1987;79(5):701-13.
7. Capitán L, Gutiérrez Santamaría J, Simon D, et al. Facial gender confirmation surgery: A protocol for diagnosis, surgical planning, and postoperative management. Plast Reconstr Surg. 2020;145(4):818e-28e.

8. Berli JU, Capitán L, Simon D, et al. Facial gender confirmation surgery—review of the literature and recommendations for Version 8 of the WPATH Standards of Care. International Journal of Transgenderism. 2017;18(3):264-70.
9. Lakhiani C, Somenek MT. Gender-related Facial Analysis. Facial Plast Surg Clin North Am. 2019;27(2):171-7.
10. Morrison SD, Satterwhite T. Lower Jaw Recontouring in Facial Gender-Affirming Surgery. Facial Plast Surg Clin North Am. 2019;27(2):233-42.
11. Sayegh F, Ludwig DC, Ascha M, et al. Facial masculinization surgery and its role in the treatment of gender dysphoria. J Craniofac Surg. 2019;30(5):1339-46.
12. Deschamps-Braly J. Feminization of the chin: genioplasty using osteotomies. Facial Plast Surg Clin North Am. 2019;27(2):243-50.
13. Morrison SD, Vyas KS, Motakef S, et al. Facial feminization: systematic review of the literature. Plast Reconstr Surg. 2016;137(6):1759-70.
14. Capitán L, Simon D, Meyer T, et al. Facial Feminization Surgery: Simultaneous Hair Transplant during Forehead Reconstruction. Plast Reconstr Surg. 2017;139(3):573-84.
15. Dempf R, Eckert AW. Contouring the forehead and rhinoplasty in the feminization of the face in male-to-female transsexuals. J Craniomaxillofac Surg. 2010;38(6):416-22.
16. Salgado CJ, AlQattan H, Nugent A, et al. Feminizing the face: combination of frontal bone reduction and reduction rhinoplasty. Case Rep Surg. 2018;2018:1947807.
17. Mommaerts MY, Abeloos JV, De Clercq CA, Neyt LF. The sandwich zygomatic osteotomy: technique, indications and clinical results. J Craniomaxillofac Surg. 1995;23(1):12-9.
18. Lundgren TK, Farnebo F. Midface osteotomies for feminization of the facial skeleton. Plast Reconstr Surg Glob Open. 2017;5(1):e1210.
19. Deschamps-Braly JC. Facial gender confirmation surgery: facial feminization surgery and facial masculinization surgery. Clin Plast Surg. 2018;45(3):323-31.
20. Eppley BL. Chin reshaping in profileplasty: augmentative and reductive strategies. Facial Plast Surg. 2019 22;35(5):499-515.
21. Trauner R, Obwegeser H. The surgical correction of mandibular prognathism and retrognathia with consideration of genioplasty. Oral Surgery, Oral Medicine, Oral Pathology. 1957;10(7):677-89.
22. Ousterhout DK. Dr. Paul Tessier and facial skeletal masculinization. Ann Plast Surg. 2011;67(6):S10-5.
23. Moreira-Gonzalez A, Jackson IT, Miyawaki T, et al. Augmentation of the craniomaxillofacial region using porous hydroxyapatite granules. Plast Reconstr Surg. 2003;111(6):1808-17.
24. Deschamps-Braly JC, Sacher CL, Fick J, Ousterhout DK. First Female-to-Male Facial Confirmation Surgery with Description of a New Procedure for Masculinization of the Thyroid Cartilage (Adam's Apple). Plast Reconstr Surg. 2017;139(4):883e-7e.

ÍNDICE REMISSIVO

A
Ácido Deoxicólico
  aplicação de
    na feminização facial, 81
Anatomia Facial
  ligada ao gênero, 61
Anatomia Nasal
  diferenças étnicas
    e de gênero, 74
Assistência
  em saúde, 4
Associação Profissional Mundial para a Saúde Transgênero, 19

B
Blefaroplastia, 93

C
Carta dos Direitos dos Usuários da Saúde, 7
Cirurgias
  de redesignação sexual
    e em órgãos reprodutores, 22
  do terço inferior da face, 94
  do terço médio da face, 93, 97
  de terço superior da face, 91, 96
  em tórax e mama, 22
    técnicas mais comuns, 22
Condroplastia
  laríngea, 67
    de aumento, 69
    técnica cirúrgica, 68
Conselho Federal de Medicina, 11, 13

D
Despatologização
  da transexualidade, 5

Disfonias
  aparecimento das
    fatores que podem influenciar no, 34
Disforia
  de gênero, 5

E
Elevação
  de supercílio, 93
Escala de Sintomas Vocais, 40
Estigmatização, 4

F
Face
  processo transexualizador da
    procedimentos faciais não cirúrgicos no, 79
      para feminização facial, 80
        lipossucção
          e aplicação de ácido deoxicólico, 81
        preenchimento, 80
        toxina botulínica, 81
      para masculinização da face, 82
        preenchimento, 82
        toxina botulínica, 83
Faloplastia, 22
Fonação
  anatomia e fisiologia da, 29, 32
Fonoterapia, 39
Frontoplastia, 91, 97

G
Gênero
  afirmação do
    cirurgia craniomaxilofacial na, 87
      características faciais
        ligadas a, 88
          face feminina, 89
          face masculina, 88

    de feminização facial, 91
    de masculinização facial, 96
    planejamento cirúrgico, 90
    procedimentos, 90
anatomia facial
    ligada ao, 61
        pele, 62
        terço inferior, 64
        terço médio, 63
        terço superior, 62
disforia de, 5
identidade de, 11
redesignação de
    processo, 20
transtorno de identidade de, 5
Glotoplastia, 54
    definição, 54
Gravação
    de imagem e som, 37

H
Histerectomia, 22
Jovens
    transgênero, 23
        bases do cuidado com, 23

L
Laringe
    e fonação
        anatomia e fisiologia da, 29
            fatores de aparecimento das disfonias
            e lesões laringológicas, 34
        funções da, 32
Laringoplastia
    ou condroplastia, 57
        definição, 57
Legislação Brasileira
    transexualidade na, 11

M
Manual Diagnóstico e Estatístico de Doenças
    Mentais (DSM V), 5
Mentoplastia, 95, 98
Metoidioplastia, 22
Morgagni
    ventrículos de, 29

O
Ogee
    curva de, 64
Organização Mundial da Saúde, 5
Orquiectomia, 21, 22
Osteoplastia
    mandibular, 94, 97

P
Paciente
    transgênero, 17
        atuação fonoaudiológica junto ao, 39
        avaliação, 39
            acústica da voz, 41
        anamnese vocal, 40
        autoavaliação vocal, 40
        do comportamento vocal, 40
        tratamento, 41
            reabilitação vocal pós-cirurgia
    de modificação de *pitch*, 43
        avaliação otorrinolaringológica do, 35
            acolhimento, 35
        avaliação médica, 36
            anamnese, 36
            características vocais
                a serem avaliadas, 36
            das pregas vocais, 37
            exame físico otorrinolaringológico, 36
            gravação de imagem e som, 37
            protocolos, 37
Pele e Anexos, 62
    procedimentos em, 22
Pitch
    modificação de, 43
    vocal
        cirurgias para elevação de, 53
            glotoplastia, 54
            laringoplastia ou condroplastia, 57
            redução da massa da prega vocal, 57
            tireoplastia de alongamento, 57
            tireoplastia tipo IV, 55
        cirurgias para redução de, 47
            cuidados pós-operatórios, 50
            tireoplastia de relaxamento por
                abordagem medial, 49
            tireoplastia de retrusão, 48
            técnica alternativa, 50
Pomo de Adão, 67
Portarias, 12
Prega Vocal
    redução da massa da, 57
Pregas Ariepiglóticas, 29
Processo Transexualizador
    princípios médicos do, 17
        bases, 18, 20
        do cuidado, 23
            com jovens, 23
        procedimentos e intervenções
            cirúrgicas
            mais comuns, 22
        terapia hormonal, 20

cuidado ao paciente transgênero, 17
saúde mental, 19
Protocolo de Qualidade de Vida em Voz, 40

R
Redesignação Sexual, 11
  bases médicas do processo, 20
Rinoplastia
  de feminização, 76
  no processo transexualizador, 73
    atendimento, 73
    diferenças étnicas e de gênero
      na anatomia nasal, 74
    exame físico, 74
    técnicas cirúrgicas, 75
      acesso cirúrgico, 75
      asa nasal, 77
      dorso e *radix*, 75
      ponta nasal, 76

S
Saúde Mental
  e o processo transexualizador, 19
Sexo
  biológico, 11
Síndrome
  de Turner, 21
Sistema
  de ressonância, 33
Sistema Único de Saúde
  processo transexualizador e o, 6
Som
  vocal, 33

T
Tempo Máximo Fonatório (TMF), 33
Teoria do Corpo e Cobertura, 30

Terapia
  hormonal, 20
Tireoplastia, 47
  de relaxamento
    por abordagem medial, 49
  de retrusão, 48
  tipo IV, 55
    definição, 55
Toxina Botulínica
  na feminização facial, 81
  na masculinização facial, 83
Transexualidade
  abordagem técnica da, 7
  conceitos gerais em, 3
    definições, 3
    desafio da despatologização, 5
    estigmatização
      e a busca por assistência em saúde, 4
    etiologia, 4
    prevalência e
      bases biológicas, 3
    processo
      e o sistema único de saúde, 6
  na legislação brasileira, 11
Turner
  síndrome de, 21

U
Unidades de Atenção Especializada, 11

V
Vaginectomia, 22
Ventrículos
  de Morgagni, 29
Voz e Face, 33
  procedimentos em, 23
    otorrinolaringologista, 23